É A ALES

JON FOSSE

É a Ales

Tradução do norueguês
Guilherme da Silva Braga

1ª reimpressão

Esta tradução foi feita com o apoio financeiro da NORLA.

Grafia atualizada segundo o Acordo Ortográfico da Língua Portuguesa de 1990, que entrou em vigor no Brasil em 2009.

Título original
Det er Ales

Capa
Raul Loureiro

Imagem de capa
Women at the Seashore, de Edvard Munch (sem data). Xilogravura, 46,2 × 51 cm.
Reprodução de Christie's Images/ Bridgeman Images/ Easypix Brasil

Preparação
Ana Cecília Agua de Melo

Revisão
Érika Nogueira Vieira
Márcia Moura

Dados Internacionais de Catalogação na Publicação (CIP)
(Câmara Brasileira do Livro, SP, Brasil)

Fosse, Jon
É a Ales / Jon Fosse ; tradução Guilherme da Silva Braga.
— 1ª ed. — São Paulo : Companhia das Letras, 2023.

Título original: Det er Ales.
ISBN 978-85-359-3542-4

1. Ficção norueguesa I. Título.

23-159568 CDD-839.823

Índice para catálogo sistemático:
1. Ficção : Literatura norueguesa 839.823

Aline Graziele Benitez – Bibliotecária – CRB-1/3129

EDITORA SCHWARCZ S.A.
Rua Bandeira Paulista, 702, cj. 32
04532-002 — São Paulo — SP
Telefone: (11) 3707-3500
www.companhiadasletras.com.br
www.blogdacompanhia.com.br
facebook.com/companhiadasletras
instagram.com/companhiadasletras
twitter.com/cialetras

É A ALES

O mar é História.
Derek Walcott

Vejo Signe deitada no banco da sala olhando para tudo que é familiar, a velha mesa, a estufa, a caixa de lenha, o velho painel de madeira nas paredes, a grande janela com vista para o fiorde, ela olha para essas coisas sem ver, e tudo está como sempre esteve, nada mudou, mas assim mesmo tudo mudou, ela pensa, porque depois que ele desapareceu e nunca mais voltou nada mais foi o mesmo, ela simplesmente está aqui, porém sem estar aqui, os dias chegam, os dias passam, as noites chegam, as noites passam e ela os acompanha, sempre com movimentos vagarosos, sem permitir que nada deixe grandes marcas ou faça grande diferença, e será que ela sabe que dia é hoje?, ela pensa, claro, é uma quinta-feira, no mês de março, no ano de 2002, quem diria, ela sabe de tudo isso, mas a data precisa e essas coisas todas não lhe ocorrem, e por que haveriam de ocorrer?, que importância teriam?, ela pensa, mas assim mesmo ela sente-se confortável e robusta, como era antes do desaparecimento dele, mas de repente tudo aquilo volta, o desaparecimento dele, naquela terça-feira, no fim de novembro, em 1979, e no mesmo instante ela se vê mais uma vez no vazio, ela pensa, e então olha em direção à porta que dá para o corredor e a porta se abre e ela se vê entrando e fechando a porta ao sair e depois se vê indo até a sala, parando e se postando lá e olhando para a janela e então ela se vê olhando para ele defronte a janela e ela vê, do lugar onde está, que ele olha para a escuridão com os longos cabelos pretos, e também com o blusão preto, o blusão que ela mesma tricotou e que ele quase sempre usa quando faz frio, ele está lá, ela pensa, está lá parado quase como se fosse parte da escuridão, ela pensa, de fato tão parte da escuridão que quando ela abriu a porta e entrou a princípio nem ao menos notou que ele estava lá, mesmo que, sem pensar nisso, sem dizer nada disso para si, ela de certa forma soubesse que ele estaria lá daquele jeito, ela pensa, e *o blusão preto* e a escuridão do outro lado da janela se misturam, ele é a escuridão, a escuridão é ele, mas enfim as coisas são assim mesmo, ela pensa, é quase como se ela, quando entrou e o viu lá, tivesse *visto* uma coisa inesperada, o que parece estranho, porque afinal ele com frequência está lá, defronte a janela, mas em geral ela não vê, ela pensa, ou então vê, mas nesse caso simplesmente não presta atenção, pois aquilo, o fato de ele estar lá, acabou por tornar-se um costume, como quase todo o restante, acabou por tornar-se uma coisa que simplesmente está lá, ao redor dela, mas agora, quando entrou na sala, ela viu que ele estava lá, viu os cabelos pretos dele, e depois o blusão preto, e agora ele simplesmente está lá, olhando para a escuridão, mas por que está fazendo aquilo?, ela pensa, por que está lá daquele jeito?, se houvesse o que ver do outro lado da janela ela entenderia, claro, mas não há nada o que ver, apenas a escuridão, a escuridão pesada e quase preta, e assim, talvez, pode ser que um carro venha, e então a luz dos faróis do carro pode iluminar um trecho da estrada, mas não eram muitos os carros que andavam por lá, porque foi assim que ela quis, ela quis morar num lugar onde não morasse mais ninguém, onde ela e ele, Signe e Asle, estivessem tão sozinhos quanto possível, um lugar abandonado por todos os outros, um lugar onde a primavera fosse primavera, o outono fosse outono, o inverno fosse inverno, um lugar onde o verão fosse verão, era num lugar assim que ela queria morar, ela pensa, mas agora, quando tudo que há para se ver é a escuridão, por que ele está lá olhando para a escuridão?, por que está fazendo aquilo?, por que ele fica lá com tanta frequência, quando não há nada para se ver?, ela pensa, se ao menos a primavera chegasse agora, ela pensa, com luz, com dias quentes, com florzinhas no chão, com árvores cheias de botões, e também folhas, porque aquela escuridão, aquela escuridão que agora está sempre lá, não há como suportar aquilo, ela pensa, e logo ela precisa dizer alguma coisa para ele, ela pensa, e de repente é como se alguma coisa não fosse mais como era, ela pensa, e então olha ao redor da sala e na verdade tudo está como sempre esteve, nada mudou, e por que ela pensa aquilo, que alguma coisa mudou?, ela pensa, por que alguma coisa teria mudado?, por que ela pensa essas coisas?, que alguma coisa teria mudado?, ela pensa, porque afinal ele está lá defronte a janela, quase indistinguível da escuridão no lado de fora, mas nos últimos tempos o que pode ter acontecido com ele?, aconteceu alguma coisa?, será que ele mudou?, por que anda tão silencioso?, mas ele sempre foi daquele jeito, silencioso, ela pensa, e afinal o que mais se poderia dizer a respeito dele?, ele sempre foi silencioso, então não há nada a notar, aquele, aquele é simplesmente o jeito dele, é o jeito como ele faz as coisas, simplesmente é assim, ela pensa, e se ao menos ele pudesse se virar em direção a ela, se pudesse simplesmente falar com ela, ela pensa, simplesmente dizer qualquer coisa, mas ele *continua* parado, como se nem ao menos tivesse notado que ela entrou em casa

Aí está você, diz Signe

e ele se vira em direção a ela e ela vê que a escuridão também está nos olhos dele

Estou, sim, diz Asle

Não tem muito o que se ver lá fora, diz Signe

Não, nada, diz Asle

e ele sorri para ela

Não, só a escuridão, diz Signe

É, só a escuridão, diz Asle
Para o que você está olhando, diz Signe
Eu não sei para o que estou olhando, diz Asle
Mas você está parado defronte a janela, diz Signe
Estou mesmo, diz Asle
Mas você não está olhando para nada, diz Signe
Não, diz Asle
Mas então por que você está aí, diz Signe
Quer dizer, ela diz
Você está pensando em alguma coisa, ela diz
Não estou pensando em nada, diz Asle
Mas para o que você está olhando, diz Signe
Não estou olhando para nada, diz Asle
Você não sabe, diz Signe
Não, diz Asle
Você simplesmente está parado aí, diz Signe
É, estou parado aqui, diz Asle
É verdade, diz Signe
Você se incomoda, diz Asle
Não é nada disso, diz Signe
Mas por que você quer saber, diz Asle
Eu só perguntei, diz Signe
Está bem, diz Asle

Eu não queria nada com isso, simplesmente perguntei, diz Signe

Está bem, diz Asle

Eu só estou parado aqui, ele diz

Nem sempre as pessoas querem alguma coisa com aquilo que dizem, claro, ele diz

Aliás, quase nunca, ele diz

Verdade, as pessoas simplesmente falam uma coisa ou outra, diz Signe

É assim mesmo, diz Asle

Afinal, é preciso dizer alguma coisa, diz Signe

Sim, é preciso, diz Asle

É assim mesmo, ele diz

e ela o vê lá parado sem saber direito o que fazer e então ele ergue uma das mãos e depois a abaixa e então ergue a outra mão, estende-a meio à frente do corpo e depois ergue novamente a primeira mão

O que você está pensando, diz Signe

Nada em particular, diz Asle

Sei, diz Signe

Eu vou, diz Asle

Enfim eu, ele diz

e ele fica parado olhando para ela

Eu, ele diz

Eu, eu, sim, sim eu vou, ele diz

Você, diz Signe

É, diz Asle

Você vai, diz Signe

Eu, diz Asle

Eu vou dar um passeio no Fiorde, ele diz

Hoje outra vez, diz Signe

Acho que sim, diz Asle

e ele se vira novamente em direção à janela e mais uma vez ela percebe que ele está lá quase indistinguível da escuridão no lado de fora e ela vê mais uma vez os cabelos pretos dele defronte a janela e ela vê que o blusão dele se mistura à escuridão no lado de fora

Hoje outra vez, diz Signe

e ele não responde e hoje ele vai mais uma vez para o Fiorde, ela pensa, mas está ventando, e dentro em pouco deve começar a chover, mas será que ele se importa com isso, independente do tempo ele vai sair com o barquinho dele, um barquinho a remo, de madeira, ela pensa, e que alegria pode haver em um passeio no Fiorde com um barquinho daqueles?, deve estar fazendo um frio cortante, e o Fiorde simplesmente está lá, com o mar, com as ondas, talvez possa haver alegria nisso durante o verão, em um passeio no Fiorde, quando o Fiorde reluz todo azul, quando cintila em azul, nessas horas talvez pareça tentador, quando o sol brilha no Fiorde e o lugar está tranquilo e tudo é azul sobre azul, mas agora, na escuridão do outono, quando o Fiorde está cinza e preto e sem cores e faz frio e as ondas são grandes e irregulares, para não falar do inverno, quando as pequenas propriedades estão cobertas de gelo e neve, e quando é preciso chutar os cabos para soltá-los, para tirá-los do gelo, caso se pretenda soltar o barco da amarração, e quando há gelo flutuando no Fiorde, então por quê?, o que pode haver de tão encantador no Fiorde?, não, ela não compreende, ela pensa, dito de maneira simples, ela pensa, aquilo é incompreensível para ela, e se ao menos ele fosse apenas de vez em quando ao Fiorde, para pescar, talvez, armar redes ou coisa parecida, mas não, todos os dias ele vai ao Fiorde, talvez até duas vezes, na escuridão, na chuva, nas ondas, e em todas as estações do ano, será que ele não quer ficar com ela?, será por isso que sempre quer ir ao Fiorde?, ela pensa, pois que outra razão poderia haver?, e será mesmo que nos últimos tempos ele não mudou?, ele só está feliz em raras ocasiões, praticamente nunca, e está sempre muito arredio, não quer ver outras pessoas, se afasta quando alguém se aproxima, e quando acontece de ter que falar com alguém ele fica parado sem saber o que fazer com as mãos, e sem saber o que dizer, afinal, ele fica lá parado, sentindo-se desconfortável, todo mundo vê, ela pensa, e o que há com ele?, ela pensa, é verdade que sempre foi meio assim, um pouco retraído, um pouco como se pensasse a respeito de si que está sempre incomodando os outros, que perturba os outros com a simples presença, que não passa de um estorvo, de um obstáculo para o que quer que seja que os outros desejam, e que ele mesmo não entende, e a cada dia que passa isso piora, antes ele conseguia estar onde os outros estavam, mas agora não mais, agora ele se afasta e fica sozinho assim que outra pessoa além dela está lá

Você vai ao Fiorde, é nisso que você está pensando, diz Signe

Eu não estou pensando em nada, diz Asle

Em nada, diz Signe

É, diz Asle

Não estou pensando em nada, ele diz

Eu só estou aqui parado, ele diz

Você só está aí parado, diz Signe

É, diz Asle

Que dia é hoje, diz Signe

Terça-feira, diz Asle

É uma terça-feira no fim de novembro, e o ano é 1979, ele diz

Os anos passam depressa, diz Signe

Incrivelmente depressa, diz Asle

É uma terça-feira no fim de novembro, diz Signe

É, diz Asle

e ele se afasta da janela e segue em direção à porta que dá para o corredor

Você está indo, diz Signe

Estou, diz Asle

Aonde você vai, diz Signe

Eu só vou dar um passeio, diz Asle

Bem, você deve poder, diz Signe

Claro, diz Asle

e ela o vê ir até a estufa, ele pega uma acha de lenha e se abaixa e coloca a acha dentro da estufa e então se levanta e olha para as chamas e passa um tempo parado olhando para as chamas antes de ir até a porta que dá para o corredor e ela vê a mão dele na maçaneta, como que uma pequena hesitação, uma demora, e será que ela deve dizer alguma coisa?, ou será que é ele que deve dizer alguma coisa?, mas nenhum dos dois diz nada e por fim ele baixa a maçaneta

Você não sabe, diz Signe

Não, diz Asle

e ele puxa a porta em direção ao corpo e sai, e é como se quisesse se virar mais uma vez em direção a ela e dizer qualquer coisa para ela, mas ele simplesmente fecha a porta, ela pensa, e não há nada a dizer, ele simplesmente abriu a porta e saiu, ela pensa, mas tampouco há qualquer coisa de ruim entre eles, tudo está bem, os dois são os melhores amigos que se pode imaginar, jamais dizem coisas ruins um para o outro, e ele nem imagina, ela pensa, quanto bem faz para ela, ele pode ser inseguro, pode não saber o que dizer ou fazer, mas não é possível que guarde qualquer tipo de má vontade em relação a ela, ela jamais percebeu qualquer coisa nesse sentido, ela pensa, mas então por que ele quer passar o tempo inteiro no Fiorde?, no barquinho que ele tinha arranjado, um barquinho de madeira, a remo, ela pensa, e logo vê, do banco onde está deitada, a si mesma no meio da sala, e então se vê indo até a janela e parando e se postando lá e olhando para fora e tudo parece agora um pouco mais iluminado, ela pensa, defronte a janela, naquele momento a paisagem está tão clara como pode estar naquela altura do ano, e clareou tanto que se podem ver o cinza e o preto do Céu, e também se pode ver a Montanha cinza e difusa no outro lado do Fiorde, ela pensa, mas aqui na Storevegen, o que está acontecendo?, quem está lá parado?, quem é?, e o que as pessoas estão fazendo?, é ela mesma quem está lá embaixo?, será que ela parece assustada?, desesperada?, como se houvesse se desfeito e estivesse desaparecendo?, será que é assim que ela está?, ela pensa, o que é isto, afinal?, ela pensa, mas não, ela está aqui mesmo, defronte a janela, então por que ela tem a impressão de estar lá embaixo, na Storevegen, como que desfeita?, por que ficar olhando e pensando essas coisas?, não assim não há jeito, ela pensa, porque ela está aqui, defronte a janela, olhando para fora, mas ela não pode continuar assim parada, defronte a janela, ela faz isso com muita frequência, é capaz de passar a maior parte do tempo assim, parada, olhando para o outro lado da janela, e talvez ela olhe para a Storevegen, e talvez para a Litlevegen, é assim que chamam aquela estrada, ela pensa, Litlevegen, essa palavra devia ser agradável, ou talvez fosse apenas para dar um nome à estrada, que assim se chamou Litlevegen, a estrada que desce rumo à estrada principal, a Storevegen, como a chamam, desde a Antiga Casa onde eles moram, aquela casa antiga e bonita, as partes mais antigas da casa têm vários séculos, e depois foram expandidas, transformadas, e ela mesma já mora lá há mais de vinte anos, será possível que já faz tanto tempo?, será mesmo tanto?, ela pensa, e já faz vinte e cinco anos mais ou menos desde que ela o encontrou pela primeira vez, desde que ela o viu andando por lá, com os longos cabelos pretos, e naquele instante, porque foi assim mesmo que aconteceu, naquele instante foi decidido que ela e ele, que os dois acabariam juntos, foi assim mesmo, ela pensa, e então olha para a Storevegen, para o ponto onde a estrada se estreita e segue ao longo do Fiorde, e ele não está em lugar nenhum, ela pensa, e então olha para o Caminho que vai da Storevegen para a Baía e o Abrigo de Barcos, e depois para o Cais, e então ela olha para o Fiorde onde fica, sempre o mesmo, em constante mudança, e então ela olha para a Montanha do outro lado do Fiorde, para o ponto íngreme de onde em meio ao preto e ao cinza se precipita dos movimentos suaves do Céu em meio ao cinza e ao branco, até que as árvores ponham-se a crescer Montanha abaixo, e de repente as árvores também são pretas, e vai ser muito bom quando tornarem a ser verdes, de um verde reluzente, ela pensa, e então ela olha mais uma vez para a Montanha, e, ela pensa, é como se a Montanha soltasse o fôlego no ponto onde se precipita, não, agora ela precisa parar com isso, imagine só, a montanha soltando o fôlego, não é possível uma montanha soltar o fôlego, ela pensa, mas é assim mesmo, é como se a montanha soltasse o fôlego no ponto onde se precipita cada vez mais para baixo, até que em certos pontos existam árvores e morros e pastos, e também casas, uma casa aqui e outra ali, e em certos pontos há duas casas pegadas uma na outra, e mais abaixo no Fiorde ela consegue ver a listra estreita, é a Storevegen, que se movimenta em curvas, desce quase até a Orla, e depois sobe outra vez a partir do Fiorde, volta para ele e depois faz uma curva suave e sossegada ao redor da Montanha e some, é assim mesmo, e agora quase tudo está preto, é assim mesmo agora, no avançado do outono, e é assim também durante todo o longo inverno, ela pensa, mas na primavera, no verão, então tudo é diferente, então tudo pode ser azul e verde reluzente e então o Céu e o Fiorde podem se pôr um contra o outro e cada um quer ser o azul mais azul, e os dois podem reluzir competindo, assim foi, e assim há de ser, ela pensa, mas ela não pode ficar parada defronte a janela, ela pensa, por que ela faz aquilo com tanta frequência?, e agora ela não deve pensar, como pensou com tanta frequência, que tanto poderia fazer aquilo, que tanto poderia fazer aquilo como qualquer outra coisa, ela pensa, e então ela para e olha para um ponto mais ou menos no meio do Fiorde e se perde olhando justamente para aquele ponto e vê, do banco onde está deitada, a si mesma parada defronte a janela e também ele, ela pensa, também ele com frequência ficava parado como ela agora se vê parada, também ele parava assim mesmo defronte a janela, como ela agora se vê parada, antes de desaparecer e nunca mais voltar, nunca mais voltar para sempre, ele também com frequência ficava parado e olhava sem parar, e a escuridão do outro lado da janela era preta e ele quase não se distinguia da escuridão lá fora, ou a escuridão lá fora quase não se distinguia dele, é assim que ela se lembra dele, assim foi, era assim que ele ficava lá, e então ele dizia qualquer coisa sobre dar um passeio no mar, ela pensa, mas nunca, ou quase nunca, ela o acompanhava, o mar não era para ela, ela pensa, será que ela devia tê-lo acompanhado com mais frequência?, e será que se o tivesse acompanhado naquela noite aquilo nunca teria acontecido?, será que nesse caso ele ainda estaria lá agora?, mas ela não pode pensar assim, isso não leva a nada, ela pensa, porque afinal ela nunca gostou de andar de barco, mas ele gostava, ele saía de barco pelo Fiorde na primeira oportunidade, sempre assim, todos os dias, com frequência duas vezes no mesmo dia, ela pensa, e que ele pudesse simplesmente nunca mais voltar, sumir, desaparecer, simplesmente nunca mais voltar, e que ela pudesse continuar, sozinha, porque afinal eles nunca tiveram filhos, ela e ele, eram apenas os dois, ela e ele, ela pensa, ele estava aqui, e depois nunca mais voltou, desapareceu, ele veio até ela, de repente apareceu caminhando em direção a ela, com os longos cabelos pretos, ela nunca o tinha visto antes, e ele simplesmente apareceu caminhando, e então, então, claro que aquilo levou um tempo, mas no fim ela se mudou para a casa dele, ela pensa, passou a morar na casa dele, ela pensa, ficou lá com ele, por muitos anos foi assim, mas depois, tão de repente quanto ele uma vez tinha aparecido caminhando na direção dela, ele nunca mais voltou para ela e agora muitos anos se passaram sem que ela o visse, sem que ninguém o visse, ele simplesmente nunca mais voltou, ele estava lá, desapareceu, nunca mais voltou, nunca mais voltou para sempre, mas o que foi que ele disse antes de sair no dia em que nunca mais voltou?, o que foi que ele disse antes de sair, será que disse alguma coisa?, alguma coisa sobre dar um passeio no Fiorde, talvez?, aquilo que costumava dizer, que ia ao Fiorde dar um passeio de barco?, talvez ele tenha dito qualquer coisa assim, que ia pescar um pouco, talvez, qualquer coisa assim, qualquer coisa trivial, ele deve ter dito, essas coisas que ele com frequência dizia, palavras e frases comuns, daquelas sempre repetidas, aquelas coisas que as pessoas sempre dizem, isso ele deve ter dito, ela pensa, e então olha para a janela e se vê parada defronte a janela olhando para fora e então se vê indo em direção à sala e se vê pegando uma acha de lenha, se abaixando e colocando-a dentro da estufa e então se vê em silêncio olhando para a porta que de repente se abre e lá está ele na porta, e ele entra na sala, fecha a porta

Eu vou dar um passeio no Fiorde, diz Asle

Tudo bem, diz Signe

O dia clareou um pouco, diz Asle

É, está tão claro quanto fica nesta altura do ano, diz Signe

Pelo menos está claro o bastante para um passeio, diz Asle

Para você nem faz tanta diferença assim, diz Signe

Não, diz Asle

Eu vou dar um passeio, então, diz ele

Tudo bem, diz Signe

Você nunca se cansa desse barco seu, diz ela

Me canso sim, diz Asle

É mesmo, diz Signe

É, diz Asle

Mas por que você sai de barco então, você faz isso quase sempre, diz Signe

Eu simplesmente saio, diz Asle

Você simplesmente sai, diz Signe

É, diz Asle

Você nem está com muita vontade de sair de barco, diz Signe

Não, diz Asle

Mas então por que você não fica em casa, diz Signe

Bem que eu podia, diz Asle

Bem que você podia, diz Signe

Talvez eu goste de sair com o barco, diz Asle

E os dois olham para baixo, continuam parados olhando para baixo

Você não quer estar aqui comigo, é por isso, diz Signe

Não, não é nada disso, diz Asle

Mas aquele seu barco é tão pequeno, diz Signe

Eu gosto dele, diz Asle

O barco é meu há muito tempo, há muitos anos, e é um bom barco, um bom barco de madeira, sabe, ele diz

Eu sei, diz Signe

Mas não, para mim o barco é feio e marrom, diz ela

Eu já vi barcos mais bonitos, diz ela

Eu gosto do barco, diz Asle

Mas você não podia ter arranjado um barco maior, um barco mais seguro, diz Signe

Não tenho vontade de arranjar um barco novo, diz Asle

O que tem afinal esse barco, diz Signe

Eu conhecia o homem que o fez, e ele fez o barco para mim, diz Asle

O homem que o construiu passou a vida inteira construindo barcos, e construiu um barco para mim

Eu o vi trabalhar enquanto construía esse barco, ele diz

É, diz Signe

Você se lembra disso, claro, diz Asle

É verdade, diz Signe

Foi o Johannes de Vika que construiu o barco, diz Asle

Sim, esse era o nome dele, diz Signe

Johannes de Vika, era assim que o chamavam, diz Asle

Faz muitos anos desde que ele morreu, ele diz

Os anos passam depressa, ele diz

O Johannes de Vika passou a vida inteira construindo barcos, e o meu barco foi um dos últimos que ele construiu, ele diz

Mas o seu barco não foi construído num tamanho menor do que ele em geral construía, diz Signe

Foi, diz Asle

Um pouco menor, ele diz

Eu quis que o barco fosse um pouco menor, ele diz

Por quê, diz Signe

Achei que ficaria mais bonito assim, diz Asle

Mas assim o barco não é tão estável quanto os outros barcos, diz Signe

Não, não é mesmo, diz Asle

e ela vê que ele mais uma vez segue em direção à porta que dá para o corredor

Você está indo, diz Signe

e ele para e olha para ela

Estou, diz Asle

Mas, diz Signe

Aliás, diz Asle

Enfim, eu só vou dar um passeio, hoje está ventando muito para ir ao Fiorde, ele diz

Tudo bem, diz Signe

Só um passeio a pé, diz Asle

Claro, vá dar um passeio a pé, diz Signe

Está ventando um horror, e também está muito escuro, mesmo agora, quando o dia está tão claro quanto fica nesta altura do ano, ela diz

É, diz Asle

e ela o vê sair pela porta do corredor e fechá-la, e então ela vê, do banco onde está deitada, a si mesma saindo pela porta da cozinha e ela pensa que está lá há muito tempo, ou deitada aqui no banco ou em pé defronte a janela, como ela também fazia quando ele ainda estava aqui, e por que ela sempre precisa vê-lo entrar pela porta da sala?, e por que ela sempre precisa se ver indo da janela para a sala, postando-se lá?, por que ela sempre precisa se ver lá de pé dizendo qualquer coisa para ele?, e por que ela precisa ouvir o que ele diz?, o que ela diz?, por que é assim?, por que ele ainda está aqui?, ele não voltou mais, ora, já faz muitos anos desde que ele não voltou mais, desapareceu, mas é como se ainda estivesse aqui, afinal ela vê a porta se abrir, ela o vê lá na porta, ela o vê entrar na sala, ouve-o dizer as coisas que com tanta frequência dizia, assim é e assim acabou sendo, mesmo que não tenha mais voltado para sempre, ele continua aqui, diz as coisas que sempre dizia, anda como sempre andava, se veste como sempre se vestia, ela pensa, e ela, o que dizer dela?, ora, ela está deitada aqui no banco ou então em pé defronte a janela olhando para fora como sempre esteve em pé olhando para fora, ela pensa, sim, ela está aqui, agora como naquela vez, ou então deitada aqui no banco, ela pensa, e então se vê entrando pela porta da cozinha e se vê caminhando até a janela e postando-se defronte a janela e ela pensa, lá está ela deitada no banco, ela não percebe que não consegue enfrentar isso, ela pensa, e por que tudo é assim?, por que é como se ele ainda vivesse e agora estivesse descendo a Litlevegen, como fazia com tanta frequência, antes de desaparecer e não voltar mais, mesmo que já tenham se passado muitos anos desde que ela o viu descer a Litlevegen é como se ele tivesse acabado de descer a Litlevegen, ela pensa, e ela se vê lá defronte a janela olhando para a escuridão, e lá, lá ela o vê, ela pensa defronte a janela, descer a Litlevegen com a velha touca bege, e com certeza ele está indo para o Fiorde apesar de tudo, ela pensa, e se vira e olha para o banco e se vê deitada no banco, mas assim não há jeito!, ela está em pé defronte a janela, e se vê deitada no banco, e ela parece estar muito velha, muito cansada, e os cabelos dela estão bastante grisalhos, mas ainda compridos, e imagine estar em pé defronte a janela olhando para fora e depois olhar para o banco e se ver deitada velha e grisalha, ela pensa enquanto olha para a estufa e lá, lá na cadeira ao lado da estufa ela se vê sentada, mais essa!, ela pensa, e não apenas se vê deitada velha e grisalha no banco, mas também se vê sentada na cadeira ao lado da estufa, e ela está sentada tricotando o blusão preto que ele usa quase sempre, o blusão que ele está usando agora mesmo, ela pensa, e ela vê que os cabelos dela são pretos e longos e bastos, lá onde está sentada, e há ondulações nos cabelos e ela está lá sentada olhando para as chamas e os dedos tricotam e tricotam o blusão preto que ele usa quase sempre e ela olha mais uma vez para o banco e se vê deitada lá, e os cabelos dela estão grisalhos, mas ainda compridos, ela está com cabelos compridos e grisalhos deitada no banco e ela olha para fora da janela e o vê descer a Litlevegen com a touca bege que ele passou a usar e ela pensa que aquela touca é horrível e ele pensa que não vai se virar, porque caso se vire ele vai ver que ela está simplesmente em pé defronte a janela, olhando para fora em meio à luz da sala, completamente visível, olhando para fora, então ele não quer se virar, não quer olhar para ela, quer simplesmente dar um passeio pela Storevegen, hoje não é dia para ir ao Fiorde, está ventando muito e nem ao menos dá vontade agora que o dia está tão claro quanto fica nesta altura do ano, e logo a escuridão vai tomar conta de tudo, ele pensa, então hoje ele vai ficar em terra firme, ele pensa, ou pelo menos é isso o que ele devia dizer para ela, ele pensa, mas na verdade podia ser bom simplesmente dar um passeio a pé, ele pensa e começa a andar em direção à Storevegen e a escuridão é horrível agora no avançado do outono, afinal é fim de novembro, uma terça-feira no fim de novembro, no ano de 1979, e mesmo que ainda seja de manhã, está tudo escuro como se fosse noite, é sempre assim nesta altura do ano, no avançado do outono, ele pensa, e logo não vai haver nada além de escuridão, vinte e quatro horas por dia, sem absolutamente nada de luz, ele pensa, é bom para caminhar, ele gosta daquilo, ele pensa, claro que sair de casa pode ser um esforço e tanto, mas depois aquilo faz bem, ele gosta, ele gosta de caminhar, basta acertar o passo, o movimento do passo, basta reencontrar o próprio passo, depois tudo vai bem, ele pensa, porque nessas horas é como se o peso com que a vida nos preenche se tornasse mais leve, fosse tirado de cima dele, começasse a se movimentar, e assim deixasse para trás tudo de denso pesado imóvel e preto que a vida pode ser, ele pensa, e quando ele caminha, ele pensa, ele às vezes sente como se fosse um antigo pedaço de madeira trabalhada, que bobagem!, que bobagem!, ele pensa, mas às vezes ele sente como se fosse as belas tábuas de um antigo barco bem-acabado!, não, imagine pensar uma coisa dessas, pensar dessa forma, pensar que ele é como as belas tábuas de um antigo barco, ele pensa, como é que alguém pode pensar assim?, ele pensa, não se pode pensar assim, que ele é uma tábua em um navio?, não, o que ele está pensando?, ele pensa, e então olha para cima, para o Céu, e ele vê que já está tudo quase preto, e já naquela hora, quando ainda é recém de tarde, já está tudo escuro, ele pensa, e também um pouco frio, mas ele está usando o blusão preto grosso e quente, ele pensa, e então anda um pouco mais depressa e tem a impressão de que o dia escurece ainda mais depressa, quanto mais depressa ele anda, mais depressa o dia escurece, a impressão é essa, ele pensa, e será que ele está com frio?, não, isso não, ele pensa, porque ele está bem agasalhado, afinal está usando o blusão preto que ela tricotou para ele, no primeiro inverno em que morou com ele ela havia tricotado o blusão que ele quase sempre usa quando faz frio, e o blusão é bem quente, mas por que ele usa sempre aquele blusão?, não existe motivo, simplesmente é assim, ele pensa, e então olha para o Fiorde que está em absoluto silêncio, e agora está ventando um pouco menos do que antes, ele pensa, então será que não seria o caso de dar um passeio pelo Fiorde?, mas por que ele sempre quer ir ao Fiorde, durante o ano inteiro?, na verdade ele não quer, ele simplesmente faz aquilo, ele pensa, ele vai ao Fiorde independentemente de o tempo estar assim ou assim, mas por que ele faz aquilo?, para pescar?, sim, ele ainda pesca um pouco, mas já não gosta tanto assim de pescar, então não é por isso, ele pensa, não, hoje o melhor é simplesmente dar um passeio a pé, ele quase nunca faz isso, nem ao menos se lembra da última vez em que deu um passeio a pé ao longo da Storevegen, ele pensa, mas por que fazer isso justo hoje?, por que pensar assim?, por que afinal tudo precisa ter um motivo?, ele pensa, agora ele vai simplesmente dar um passeio a pé ao longo da Storevegen e depois voltar para casa, para a Antiga Casa onde mora, para a casa onde morou ao longo de toda a vida, primeiro com o Pai e a Mãe e os irmãos e depois com a mulher com que havia se casado, e é uma casa antiga e bonita, ele pensa, e que idade tem a casa, não, ninguém sabe, mas é antiga, não há dúvida, e onde hoje está é o mesmo lugar onde esteve por centenas de anos, mas por que a escuridão veio tão de repente?, afinal já está quase escuro, não?, ele pensa e olha para o Fiorde e as ondas batem forte contra a Orla e ele ainda consegue ver as ondas, mas acima de tudo ele as ouve, ele pensa, e agora ele precisa voltar, voltar para casa, mas ele não tem vontade de voltar para casa, e por que não tem vontade?, será ela, o fato de que ela o espera, o fato de que ela parece estar iluminada na janela, será isso o que lhe tira a vontade de voltar para casa?, não, não pode ser, mas ele está com um pouco de frio, e de qualquer modo já está quase escuro, de repente ficou tudo escuro, um escuro quase total, então o melhor seria voltar para casa, ele pensa, e então para e olha para a Orla, para as ondas, e olha para a terra, ao longo do Fiorde, e vê que o Fiorde e a Montanha e a escuridão estão se misturando, transformando-se em uma coisa só, e agora ele deve voltar para casa, ele pensa e começa a andar na direção de casa, foi um passeio bem curto, ele pensa, mas pelo menos foi um passeio, ele pensa, e agora ela com certeza o espera, ela sempre o espera, em pé defronte a janela, sempre em pé defronte a janela, olhando, esperando, ele pensa, e então começa a caminhar depressa e um pouco mais adiante, já no fim da curva, ele consegue ver a Antiga Casa onde mora, ver que a janela está iluminada, e que ela está em pé defronte a janela, que ela está lá, na luz, defronte a janela, emoldurada pela escuridão, e que ela olha para ele, mesmo que não possa vê-lo ela olha para ele, e ela o vê, e assim é sempre, ele pensa, e então ele chega ao fim da curva e olha para a Antiga Casa onde mora e lá está ela, em pé na luz da janela, olhando para a escuridão, e ele sabe que ela o vê, ela sempre o vê, ele pensa, e ele não tem vontade de olhar para a janela, não tem vontade de olhar para ela, lá está ela, ele pensa, e então olha para a Orla, e lá, lá na Orla, abaixo do Abrigo de Barcos, lá arde uma fogueira!, não, que estranho, não há como compreender uma coisa dessas, ele pensa, e de repente não há nada de estranho, é assim que deve ser, ele pensa, porque claro que uma fogueira devia arder lá na Orla, abaixo do Abrigo de Barcos, ele pensa, não há nada de estranho nisso, ele pensa, mas de repente a fogueira está bem mais próxima do que estava momentos atrás, agora está logo abaixo dele, e não lá longe, lá na Orla abaixo do Abrigo de Barcos, não, agora está logo abaixo dele, ele pensa e continua a andar, e ele olha para baixo, e o que é isso?, não, isso é incompreensível, ele pensa, e então olha para cima e vê que mais uma vez a fogueira está na Orla abaixo do Abrigo de Barcos, lá na Baía, e então a fogueira se torna menor, se reduz a uma simples chama que bruxuleia ao vento na escuridão e mal se pode enxergar em um lugar ou outro naquela escuridão pesada, pesada como ele próprio é a escuridão, ele pensa, e densa é a escuridão, e agora existe apenas uma escuridão, um negrume onde mal se pode ver uma chama, e depois nada mais, porque tudo está preto, mas logo a chama está lá outra vez, e depois outras chamas, e depois as chamas tornam-se maiores, tornam-se novamente uma pequena fogueira ao longe, lá na Baía, abaixo do Abrigo de Barcos arde agora uma fogueira, ele pensa e para e olha para a fogueira. E agora a fogueira é grande. Lá na Orla arde uma fogueira. E logo a fogueira está próxima dele outra vez. E devem ser a escuridão e o fato de que está tão frio que não lhe permitem ver onde o fogo arde, ele pensa, mas assim mesmo ele vê, lá na escuridão, as chamas vermelhas e amarelas. E aquilo parece quente e agradável, pois afinal está frio, claro, ele pensa, está tão frio que ele precisa seguir adiante, não pode continuar parado, porque está frio demais para isso, ele pensa, e então começa a andar e ele está congelando e faz tanto frio que ele tenta andar o mais rápido que pode e mal consegue se lembrar da última vez em que fez tanto frio no outono, ele pensa, deve ter sido na infância dele, porque naquela época, pelo menos da maneira como ele recorda, era quase sempre frio e o gelo recobria o Fiorde e era muita a neve que recobria os morros, as estradas, o gelo e a neve e o frio, mas agora, nos últimos anos, os outonos estavam mais amenos, e de repente, neste ano, o frio voltou com força, ele pensa, e ele já não tinha mais toucas para usar, as velhas toucas vermelhas com borlas da época em que era menino, claro que aquelas toucas já não se encontravam mais em lugar nenhum, que fim teriam levado, pois que fim levam toucas como aquelas?, ele pensa, elas simplesmente desaparecem, ora, os anos passam e em um lugar ou outro tanto os anos como as toucas vermelhas dele se findam, ele pensa, mas depois ele encontrou, ele pensa, uma touca dessas, grande e espaçosa, e também bege, devia ter sido uma touca esquecida na casa da Vó, que era casada com Olav, o avô dele, o Vô Olav, falecido quando ele ainda era muito pequeno e de quem ele não tem recordação nenhuma, do Vô Olav, porque ele lembra muito bem, ele pensa, que a Vó usava uma touca daquelas, era uma coisa que havia ficado com ele, como certas coisas às vezes ficam com a gente, claro que ele se lembra da Vó chegando com uma touca daquelas e ele também se lembra bem do casaco azul que ela usava e que numa das mãos ela segurava uma bengala para se apoiar e manter-se de pé e para não cair e se quebrar toda, como ela dizia, ele pensa, e na outra mão está a sacola de compras dela, uma sacola vermelha, e na cabeça a touca bege de lã que agora ele mesmo usa, naquele dia de frio. E será que ele não está indo, ele pensa, ao encontro da Vó? Porque ele vê a

Vó caminhando em direção a ele e ele caminha em direção a ela

Vó! Ei, Vó!, grita Asle

Você foi às compras, Vó!, ele grita

e a Vó sorri para ele por sob a touca bege, aquela que agora ele mesmo usa, e ela diz que ele só precisa esperar que ela chegue em casa para ver

Me acompanhe até em casa e então você vai ver, diz a Vó

Eu comprei um pouco de tudo, ela diz

Me acompanhe até em casa e então você vai ver, ela diz

e ele vê que a Vó tem uma sacola pesada

Quer que eu ajude você, diz Asle

Pode deixar que carrego tudo eu mesma, diz a Vó

É mais fácil se eu mesma carregar as compras, eu me sinto mais firme assim, ela diz

Mas você pode segurar a alça da sacola de compras e assim me ajudar um pouco com o peso, seria bom, ela diz

É sempre bom receber ajuda, ela diz

e ele segura a alça da sacola de compras e então a Vó pousa um par de dedos sobre os dedos frios dele e assim os dois levam a sacola de compras juntos, devagar, passo a passo enquanto sobem a Litlevegen e nenhum deles diz nada

Você é um bom menino, Asle, diz a Vó

e a Vó e ele seguem adiante e ele sente os dedos frios e meio enrijecidos da Vó por cima dos próprios dedos e tem vontade de afastar a mão, mas não tem coragem, ele pensa, e então ele segue ao longo da Storevegen e de repente chega à parte plana em frente às casas da vizinhança, e será que ouve alguém no pátio conversando?, será que são dois garotos conversando?, ou não?, não, não era nada, ele pensa, e tudo o que ele quer é chegar em casa, ele pensa, e então olha para a fogueira na orla, e agora a fogueira está grande, e ainda é difícil ver se a fogueira está ardendo na Baía abaixo do Abrigo de Barcos ou em outro lugar, mais próximo dele, ele pensa, mas a fogueira é grande, e as chamas amarelas e vermelhas ardem bonitas na escuridão, naquele frio, e na luz da fogueira ele vê as ondas do Fiorde quebrarem como sempre contra as pedras da Orla, ou melhor, ele não vê as ondas, ele pensa, vê apenas o mar que cobre as pedras e logo se afasta das pedras, para lá e para cá movimenta-se o mar, molhando as pedras e se afastando outra vez, ele pensa, e então para e olha para as pedras molhadas à luz da fogueira e no interior da fogueira, aquilo não é um corpo?, o corpo de uma pessoa?, ele pensa, no meio da fogueira ele vê um rosto barbado e então a barba, ao mesmo tempo grisalha e preta, começa a queimar, e os longos cabelos grisalhos e pretos também estão em chamas e ele vê os olhos fixos no interior da fogueira e alguma coisa naqueles olhos parece ser erguida pelas chamas e espalhada como fumaça no ar frio e ele vê aqueles olhos e os rostos não estão visíveis, aquilo não são rostos, são apenas como caretas, e os corpos não estão visíveis, e então ele vê os olhos como que ganharem voz e a seguir é como se ouvisse um uivo, primeiro o uivo de um olho, depois um uivo múltiplo, de muitos olhos, e logo aquele grande uivo mistura-se às chamas e sobe e some na escuridão e as vozes dos olhos sobem e são uma fumaça que não se pode ver e ele segue adiante e agora está tão frio que ele precisa chegar em casa, ele pensa, está frio demais para estar na rua e mesmo que a casa deles seja antiga, pelo menos a sala é quente na Antiga Casa onde ele mora, ele pensa, eles têm uma boa estufa e a abastecem com lenha, e a lenha ele mesmo arranja, no verão ele corta lenha e no outono ele serra a lenha em pedaços de comprimento apropriado, racha a lenha, empilha a lenha de maneira que possa secar bem, ele pensa, enfim, lenha eles têm, lenha suficiente, e um calor suficiente, e antes de sair ele colocou mais lenha na estufa, ele pensa, e a essa altura ela deve ter colocado mais lenha, para que o fogo não se apagasse, claro que ela colocou mais, então a Antiga Casa onde ele mora deve estar com a sala quente e aconchegante, ele pensa, e então começa a subir a Litlevegen em direção à Antiga Casa onde mora e agora ele não pode mais parar e olhar para trás, para a Orla, agora ele deve ir para casa, e agora ele não deve pensar outra vez que devia ter feito um passeio no Fiorde, está frio demais, está escuro, ele não pode pensar assim, ele pensa, e então para e se vira para trás e olha para baixo em direção à Orla e a fogueira continua lá, embora menor, ele vê apenas uma pequena fogueira a arder na Orla, então a fogueira já terminou de queimar, ele pensa, ou será outra fogueira?, será mesmo que pode ser outra fogueira?, claro, deve ser outra fogueira, ele pensa, porque afinal a fogueira que viu agora há pouco era bem maior, era uma fogueira enorme, grande e imponente, mas agora ele vê uma pequena fogueira a arder, ele pensa e olha para a Antiga Casa onde mora, para a janela, e lá está ela, pequena, com os cabelos pretos, ela está lá parada, olhando para fora, ela, tão querida, está lá parada olhando para fora da janela, como se fosse parte da janela, está lá parada, ele pensa, sempre, sempre quando ele a imagina ela está junto à janela, talvez ela não fizesse aquilo nos primeiros tempos, mas depois, nos anos que vieram a seguir ela estava sempre lá, ele pensa, é assim que ele se lembra dela, pequena, com cabelos pretos, olhos grandes, com a escuridão ao redor como uma moldura, ele pensa, e então olha mais uma vez para a Orla e uma pequena fogueira constante arde na Orla, logo abaixo do Abrigo para Barcos, e então ele vê, e mesmo que esteja escuro ele vê como se fosse dia claro, uma mulher com um menino em um dos braços se aproxima da fogueira e na outra mão ela tem uma acha de lenha, que ela põe na fogueira, e a mulher fica em pé olhando para as chamas, e depois pega uma estaca com uma cabeça de ovelha espetada pelo buraco da garganta, e da boca sai a ponta da estaca, e então vai até a fogueira e põe a estaca com a cabeça de ovelha acima das chamas e enquanto o menino balança no braço dela ela passa a cabeça de ovelha de um lado para o outro acima das chamas, e assim a lã pega fogo e se acende e logo o cheiro de queimado se espalha, queimando, e depois ela molha a cabeça de ovelha no mar antes de colocá-la novamente acima das chamas, e mais uma vez aquele cheiro de queimado, e então ela passa a cabeça de ovelha de um lado para o outro, de um lado para o outro acima das chamas. É a Ales, ele pensa, e ele vê, ele sabe. É a Ales. Ela é Ales, ele pensa, a trisavó dele, ele sabe. Ela é Ales, que deu origem ao nome dele, ou melhor, quem deu origem ao nome dele foi o neto dela, Asle, que morreu aos sete anos afogado na Baía, foi assim que aconteceu, o irmão do Vô Olav, o nome dele. Mas ela é Ales, claramente aos vinte e poucos anos, ele pensa. E o menino, que tem por volta de dois anos, é Kristoffer, o bisavô dele, que mais tarde foi pai do Vô Olav, e também do Asle que deu origem ao nome dele, ele que se afogou aos sete anos de idade, ele pensa, e então vê que Kristoffer começa a chorar no braço de Ales e ela larga a estaca com a cabeça de ovelha e põe Kristoffer na Orla e ele se levanta e fica lá parado meio cambaleante com aquelas perninhas curtas, e então Kristoffer dá um passo cauteloso à frente, e para, e depois dá mais um passo, e então cai de lado e grita e Ales diz essa não, você tinha que se levantar, será que você não pode sentar quieto por um instante, diz Asle e ela larga a estaca e pega Kristoffer e o segura junto ao peito

Meu bom menino, meu bom menino, diz Ales

Não chore mais, meu bom menino, ela diz

e Kristoffer para de chorar, soluça um pouco e logo está mais uma vez contente, e Ales o põe de volta na mesma pedra e pega novamente a estaca com a cabeça de ovelha e começa a queimá-la, passando-a de um lado para o outro acima das chamas. E mais uma vez Kristoffer se levanta. E mais uma vez ele dá um passo cauteloso à frente. E depois outro. E Ales fica lá, passando a estaca com a cabeça de ovelha de um lado para o outro acima das chamas. Ela é Ales. É a Ales, ele pensa e vê Ales em pé com os cabelos pretos e bastos, com as pernas curtas dela, com o quadril estreito dela. Ela é Ales. Ela era a mãe do meu bisavô Kristoffer, ele que teve como filhos o Vô Olav e Asle, que deu origem ao meu nome, ele que se afogou aos sete anos de idade, ele que no aniversário de sete anos ganhou de presente um lindo barquinho e que no mesmo dia se afogou ao brincar com o barco na Baía, ele pensa, e então vê Kristoffer avançar um pouco, devagar, ele põe um pé na frente do outro e passa um tempo parado antes de dar o próximo passo, à frente, meio desajeitado, mas ele segue em frente e logo Kristoffer está em frente a uma pilha de cabeças de ovelha e desconfiado ele toca com o indicador no focinho de uma das cabeças de ovelha e enfia o dedo devagar em uma das narinas e logo puxa a mão depressa e fica parado olhando para a cabeça de ovelha, ele olha para um olho e depois leva o indicador ao olho, toca desconfiado e recolhe o dedo depressa e mais uma vez Kristoffer está lá parado olhando para o olho e mais uma vez ele leva o indicador ao olho e o aperta contra a pálpebra e a fecha por cima do olho. E então Kristoffer fica lá parado olhando para o olho. E Ales se vira e caminha em direção a Kristoffer com a cabeça de ovelha queimada balançando na estaca e diz você quer mesmo ficar aí olhando para essas cabeças de ovelha cheias de lã e de sangue, você que já sabe engatinhar, diz Ales e ela vai até um cocho e no canto do cocho tira a cabeça de ovelha da estaca e então Ales vai até a pilha de cabeças de ovelha e enfia a ponta da estaca na garganta da cabeça de ovelha em que Kristoffer acaba de fechar uma pálpebra e ela faz um pouco de força e ergue a cabeça de ovelha e volta mais uma vez à fogueira e passa a cabeça de ovelha acima das chamas e aquele cheiro pungente se espalha e Ales diz não esse cheiro não é nada bom meu bom menino, ela diz, e então mergulha a cabeça de ovelha com a lã em chamas no mar e logo vem aquele chiado e Kristoffer tem um sobressalto e olha assustado para as cabeças de ovelha à sua frente e vê que estão todas lá paradas como antes e ele põe o indicador em uma boca aberta e toca de leve em uma língua, e depois nos dentes

Não, deixe as cabeças de ovelha em paz, diz Ales

Não há razão nenhuma para cutucá-las, ela diz

Tome jeito, menino, ela diz

e Kristoffer afasta a mão e olha para Ales e então Kristoffer vê o barco bonito e marrom quase preto lá, no meio de todo aquele azul, e então ele dá um passo à frente, e depois outro, pelo Cais, e ele começa a caminhar mais depressa e olha para o barco, preto e bonito no mar azul, e Kristoffer quase corre para longe e de repente está na beira do Cais e dá mais um passo e de repente está em pleno ar e depois no mar

Kristoffer, meu Deus!, grita Ales

e Ales larga a cabeça de ovelha e larga a estaca e vai até o Cais e se deita na beira do Cais e estende o braço e o agita no mar e agarra um dos pés de Kristoffer e o segura com força e ela puxa o pé mais para perto e então agarra um dos braços e puxa Kristoffer de volta para a beira do Cais

Você me apronta cada uma, diz Ales

Se eu tiro os olhos de você por um instante, você corre direto para o mar, ela diz

Não dá para acreditar, ela diz

Não, você não toma jeito mesmo, ela diz

e Ales levanta Kristoffer, que logo começa a chorar a plenos pulmões, ela o levanta e o aperta junto ao peito, e então vai depressa em direção ao Abrigo de Barcos

O mar está muito frio, precisamos ir para casa para você se aquecer, diz Ales

Não me vá adoecer, meu bom menino, ela diz

Meu bom menino, não me invente de adoecer justo agora, ela diz

Kristoffer, meu bom menino, ela diz

e Ales passa a mão pelas costas de Kristoffer e ele começa a tremer, o corpo dele é atravessado por um tremor atrás do outro

Você não pode ficar com frio e não pode adoecer, menino Kristoffer, diz Ales

Não mesmo, ela diz

Não me vá adoecer, meu bom menino, ela diz

e ele vê, de onde está na Litlevegen, que Ales caminha em direção a ele, com Kristoffer apertado junto ao peito, ela chega com os cabelos pretos e bastos ao redor do rosto, e com aqueles olhos grandes, e Ales caminha o mais depressa que pode com as pernas curtas dela, com o choro assustado de Kristoffer, e também com aquela escuridão, e com aquele vento, e com a chuva, e ele precisa chegar logo em casa, ele pensa, porque não pode ficar parado na Litlevegen e não pode ir para a própria casa, onde viveu a vida inteira, para a Antiga Casa onde mora, ele pensa, e então vê que Ales passa e olha para as costas dela, para as costas de Ales, a trisavó dele, é ela, é a Ales, é ela quem ele vê caminhar apressada e dar a volta na casa, com os cabelos longos e pretos que descem pelas costas, e com o quadril estreito, com as pernas curtas e magras. É a Ales. É a trisavó dele, aos vinte anos de idade, ele pensa, e é o bisavô dele, Kristoffer, aos dois anos de idade, que ela aperta junto ao peito. E ele também dá a volta na casa, e vê que Ales, com Kristoffer apertado junto ao peito, entra pela porta da Antiga Casa onde ele mora, e ele vê que a porta se fecha e ela vê, do banco onde está deitada, que a porta do corredor se abre e então vê uma mulher pequena com longos cabelos pretos e olhos grandes entrar, e apertado junto ao peito ela traz um menino e a mulher atravessa o cômodo depressa e coloca o menino junto a ela na beira do banco e então a mulher tira as calças do menino, o blusão, ela despe o menino por completo e o coloca no banco junto a ela, e a mulher não para de passar a mão nas costas dele

Meu bom menino, meu bom menino, já chega de passar frio, diz a mulher

Kristoffer, meu bom menino, você precisa se aquecer, diz a mulher

Já chega de passar frio, ela diz

A mãe vai passar a mão em você até você se esquentar outra vez, meu bom menino, ela diz

e Ales não para de passar a mão nas costas de Kristoffer e ela vê que Ales se levanta e olha para

Kristoffer que está deitado junto a ela no banco, e ele está molhado, choramingando um pouco, e o corpo dele é atravessado por tremores, e ela vê Ales abrir a porta que dá para o quarto e entrar e então voltar e ela traz uma coberta de lã e então Ales vai até o banco e estende a coberta ao redor de Kristoffer e então Ales senta-se na beira do banco e mais uma vez põe-se a passar a mão pelas costas de Kristoffer, a passar a mão pelas costas de Kristoffer

Meu bom Kristoffer, agora se aqueça, meu bom Kristoffer, diz Ales

Assim, meu bom menino, ela diz

Imagine cair no mar, cair no mar assim tão pequeno, mas por sorte a mãe estava lá, não é mesmo, ela diz

e ela vê Ales passar a mão nas costas de Kristoffer e olha para a janela e se vê lá parada olhando para fora da janela, e ela sempre está lá, mas por que precisa sempre estar lá?, será que existe razão para estar lá?, ela pensa, e então ouve que Kristoffer já respira normalmente e vê Ales se levantar e sair pela porta da cozinha e ela olha para Kristoffer e o enlaça com os braços e segura Kristoffer perto de si e passa as mãos pelas costas dele e depois passa as mãos de leve pelos cabelos dele e então se vê mais uma vez parada defronte a janela, olhando para fora, e ela está lá há muito tempo, e ela ficou quase imóvel defronte a janela, ela pensa, e ela pensa, defronte a janela, que logo ele deve chegar, por que ele não chega?, e faz muito frio, venta e chove, e por que ele não chega?, ela pensa, e lá, no meio do fiorde, será que tinha visto um vulto?, não, não era nada, talvez estivesse imaginando coisas, ela pensa, mas logo ela precisa sair à procura dele, ela pensa, porque não pode mais ficar apenas parada daquele jeito, aqui defronte a janela, e ele não pode ter saído de barco num tempo daqueles?, ou será que pode?, não, ele não pode ter feito uma coisa dessas, ela pensa, mas lá, lá na Orla, não é uma fogueira o que ela vê?, não, não pode ser, numa noite escura daquelas, no fim de novembro, com chuva e ventania, mas é uma fogueira o que ela está vendo, não?, ela pensa, sim, é uma fogueira e agora ela precisa sair à procura dele, ou ela quer ou então não quer, ela pensa, e então se vira e segue em direção à sala e pensa que logo precisa sair à procura dele e ele pensa que logo precisa chegar em casa, ele pensa, lá está ele no Pátio olhando para o patamar de pedra, grande e largo, pesado sob a iluminação externa, e com um tempo daqueles ele não devia estar na rua, ele pensa, está chovendo e ventando, se está, e além do mais faz frio, frio demais para estar na rua, e afinal o que há com ele?, ele pensa, por que ele simplesmente não entra em casa?, o que houve, por que está demorando tanto?, o que há com ele?, ele pensa, e então abre a porta e a maçaneta está frouxa, e faltam dois parafusos, e os outros três estão soltos, e ele precisa consertar aquilo, ele pensa, mas aquilo está daquele jeito há muito tempo, há muitos anos, ele pensa, e com muita frequência ele pensa que precisa consertar aquilo, ele pensa, várias e várias vezes foi o que pensou, embora sem nunca agir, pelo menos enquanto a maçaneta não se desprender de vez e cair no patamar de pedra ele não vai fazer nada com aquilo, ele pensa, e então entra no corredor e as antigas paredes se postam ao redor dele e dizem alguma coisa, como sempre fizeram, ele pensa, é sempre assim, não importa se ele nota e pensa a respeito ou não, as paredes estão lá, e é como se vozes silenciosas falassem a partir delas, existe um grande silêncio nas paredes e esse silêncio diz coisas que jamais podem ser ditas em palavras, ele sabe disso, ele pensa, e existe uma coisa por trás daquelas palavras que é dita constantemente, que está no silêncio das paredes, ele pensa, e ele fica lá parado olhando para as paredes, o que haverá com ele hoje?, por que está assim?, ele pensa, e então ele põe uma das mãos contra a parede e sente que a parede fala uma coisa para ele, ele pensa, uma coisa que não pode ser dita, mas que existe, simplesmente existe, ele pensa, e é quase como se ele tocasse em outra pessoa, ele pensa, quase como se uma coisa fosse dita, como uma coisa é dita quando se toca em uma pessoa, ele pensa e passa a mão, e há quase uma carícia naquele toque, com os dedos sobre o velho painel de madeira, e então ele ouve passos e afasta a mão e vê que a porta da sala se abre e ela está na porta

Que bom que você está em casa, diz Signe

Eu fiquei preocupada com você, ela diz

Você sabe como eu sou, ele diz

e ele diz que foi apenas dar um passeio pela Storevegen, ele diz, e então olha para baixo, torna a olhar para ela onde ela está, segurando a porta aberta, e ela diz que ele não pode ter ido ao Fiorde e ele diz que não, não com um tempo daqueles, afinal está ventando e chovendo, e também escuro, ele diz

Mas ouça, diz Signe

e a inquietude na voz dela se mistura à quietude silenciosa que as paredes falam

O que tem, diz Asle

Você disse que ia, diz Signe

Disse mesmo, mas eu mudei de ideia, eu fui apenas dar um passeio pela Storevegen, diz Asle

e ela diz que aquilo foi bom, porque, porque enfim, quando venta como agora, e tudo está escuro, e faz tanto frio, é preciso ter fé e coragem para sair ao Fiorde com um tempo daqueles, ela diz, mas faz frio, e eles não podem deixar o calor escapar, ela colocou lenha na estufa, ela diz, então ele precisa entrar, ela diz

Bem, isso já aconteceu, diz Asle

Como assim, diz Signe

De eu dizer que daria um passeio, que estava ventando demais e escuro demais para ir ao Fiorde, mas assim mesmo ir até lá, diz Asle

É, já aconteceu mesmo, diz Signe

Mas não hoje, diz Asle

Que bom que você está em casa, diz Signe

e ele fica parado, não sabe ao certo o que fazer de si, ele pensa

Eu estou muito preocupada com você, diz Signe
O que você tem, ela diz
Vamos, não fique aí parado, ela diz
Está bem, diz Asle
e ele a olha com ternura
Estou indo, diz Asle
e ele fica parado

Mas está frio aqui, será que não podemos ir para a sala, a estufa está bem quente, diz Signe

e então ela o pega de leve pela mão, e em seguida o puxa, e então ela entra na sala e se vê, do banco onde está sentada, entrar na sala e então ela o vê entrar e vê que logo atrás dele também vem Ales, e que ela também entra na sala, e então ela se vê ir até a estufa e pegar uma acha de lenha e ela se vê se abaixar e ele olha para ela onde ela está abaixada defronte a estufa e então ela põe a acha de lenha enviesada em meio às chamas e no mesmo instante ele vê que agora é Ales quem põe a acha de lenha na estufa, não é ela, é a Ales, a trisavó dele, é ela que agora está defronte a estufa e que põe uma acha de lenha enviesada na estufa e os cabelos pretos dela brilham e no banco lá no canto ele vê Kristoffer deitado com uma coberta enrolada ao redor do corpo e então vê que Ales vai até lá e se senta na beira do banco e ela põe a mão na testa de Kristoffer

Você não está com febre, Kristoffer, está, diz Ales

Você parece meio quente, ela diz

Continue dormindo, meu bom menino, ela diz

e ela vê que Kristoffer acena a cabeça e então olha para ela onde ela está parada defronte a estufa olhando para as chamas

Você está aí parada olhando para as chamas, diz Asle

Estou mesmo, diz Signe

e ele vê que ela continua parada olhando para as chamas, e ele vê que as chamas reúnem-se ao redor da lenha e começam a devorá-la, e então, logo em seguida, a lenha passa a ser parte das chamas e ele olha para a janela e vê que as chamas se espelham na janela e misturam-se à escuridão no lado de fora e à chuva que agora escorre pela janela, e então ele ouve o vento

Está ventando um horror, diz Signe

Com certeza está mais forte, diz Asle

e ele olha para o banco e vê que Ales se deita no banco e enlaça Kristoffer com os braços e o aperta contra si, começa a embalar o filho

Essas tempestades de outono estão cada vez piores, diz Asle

Nos últimos anos estão sempre piores, ele diz

Essas coisas mudam de ano para ano, ele diz

Mas antes não era assim, ele diz

e ele vai até a janela e se posta lá e olha para fora e diz que agora está ventando tanto que ele começa a se preocupar com o barco, em saber se os cabos estão bem amarrados, ele diz, talvez ele deva sair e conferir se está tudo bem com o barco, ele diz, e ela diz que não, com um tempo daqueles, será mesmo necessário, ela diz, ele com certeza amarrou o barco bem o suficiente, ela diz, e ele diz que é verdade, e de repente ouve-se um baque nas paredes

Foi uma rajada e tanto, diz Signe

Está uma ventania incrível, diz Asle

Eu preciso ir ver o barco, ele diz

Será mesmo necessário, diz Signe

Não vai acontecer nada, diz Asle

Mas tome cuidado, diz Signe

e ele chega perto da janela e tenta olhar para fora e não vê nada além da escuridão e da chuva que escorre pela vidraça e ele diz eu vou até lá então

Tudo bem mas volte logo, diz Signe

Eu só vou ver o barco, diz Asle

E eu estou bem agasalhado, você sabe, ele diz

Você tricotou para mim um excelente blusão, ele diz

e ele sorri para ela e ela o vê sair pela porta do corredor e fechá-la e ela vê, do banco onde está deitada, a si mesma parada no cômodo e por que ela sempre precisa se ver lá?, ela pensa, e ela vê que Ales senta-se na beira do banco e levanta a túnica e então Ales pega Kristoffer e o põe junto ao peito e ele abre a boca e por fim encontra o mamilo e então mama e mama e ela vê que Ales passa a mão pelos cabelos pretos dele e então se vê ir até a janela e então se vê postar-se defronte a janela e olhar para fora e ela pensa, do banco onde está deitada, por que ele simplesmente não voltou mais?, o que foi feito dele afinal?, por que ele desapareceu, simplesmente não voltou mais, ela pensa, afinal ele sempre esteve aqui, e simplesmente desapareceu, e o barco dele, ela pensa, foi encontrado à deriva, no meio do Fiorde, vazio, em uma tarde escura de outono, no fim de novembro, muitos anos atrás, já se passaram vinte e três anos, ela pensa, em 1979, numa terça-feira, tudo isso aconteceu, ele não voltou, e ela pensou que ele estava apenas demorando mais um pouco no Fiorde, ela pensa, ele já deve estar voltando, mas as horas passaram, hora após hora, não ela não consegue pensar naquilo, porque a dor ainda é grande demais, ela pensa, não ela não quer pensar naquilo, ela pensa, porque ele simplesmente não voltou, nunca mais voltou, ela saiu à procura dele, claro, andou pelo Cais, no escuro, na chuva, no vento, ficou lá parada, à espera, será que ele não está vindo?, por que ele não vem?, mas nunca, não ela não consegue pensar naquilo, ele voltou, somente o barco, ele estava lá no dia seguinte, batendo contra as pedras da Orla na Baía, e o barco estava vazio, não ela não deve pensar naquilo, ela pensa, ele nunca voltou, ele desapareceu, não voltou mais, eles fizeram buscas, claro, por ele, mas não, ela não consegue pensar naquilo, as buscas, por vários dias, a expectativa, e além disso o barco, vazio, lá na Orla, jogado na Orla pelas ondas, e além disso os dois garotos da vizinhança que queimaram o barco, e claro que não havia nada de errado nisso, ela pensa, porque o barco não poderia ficar todo despedaçado na Orla, e por acaso ela aguentaria fazer qualquer outra coisa com ele, não, o barco simplesmente ficou lá, por talvez um ano, e então vieram os dois garotos e perguntaram se podiam queimar o barco para fazer uma fogueira de São João, e claro que eles podiam, ela pensa, e então os garotos queimaram o barco, e assim o barco também se foi, e ela não deve pensar naquilo, ela não consegue, ela pensa, não ela não deve pensar naquilo, ela não consegue, ela não pode pensar naquilo, ela pensa, e ela nunca o entendeu direito, desde a primeira vez em que o encontrou, ela pensa, e talvez por isso ela se sentisse tão próxima dele, desde o primeiro instante em que os dois se viram, quando ele veio caminhando em direção a ela com os longos cabelos pretos, e desde aquele momento até agora, ou pelo menos até ele não voltar mais, os dois estiveram juntos, ela pensa, e por que é assim?, por que as pessoas se aproximam umas das outras daquela forma?, ou em todo caso por que ela se aproximou dele, e ele, ora, ele também tinha se aproximado dela, claro, mas talvez não tanto quanto ela tinha se aproximado dele, mas assim mesmo, enfim, os dois eram próximos, claro, ele dela, ela dele, mas talvez ela fosse mais próxima dele do que ele dela, podia muito bem ser, mas será que isso importa?, não, para que pensar assim?, ela pensa, porque afinal ele ficou com ela, ele não foi embora, ele ficou ao lado dela até o momento em que simplesmente desapareceu, ela pensa, ele ficou com ela, desde a primeira vez em que ela o viu chegar, e então ele olhou para ela, e ela ficou lá parada, e os dois se olharam, sorriram um para o outro, e foi como um encontro entre velhos conhecidos, como se os dois se conhecessem desde sempre, de certa forma, e como se fizesse um tempo infinito desde o último encontro, e por isso a alegria foi tão grande, aquele reencontro deixou os dois tão alegres que a alegria tomou conta, levou-os, a alegria levou-os um na direção do outro, como se fosse uma coisa que tivesse estado ausente e faltado durante a vida inteira, mas agora estava lá, finalmente, agora estava lá, foi esse o sentimento quando os dois se encontraram pela primeira vez, totalmente por acaso, como de fato aconteceu, e não foi nada difícil, não houve nada de assustador, não, foi uma coisa natural, como se não restasse mais o que fazer, como se aquilo estivesse decidido, por assim dizer, e agir desse ou daquele jeito não fizesse diferença nenhuma, porque tudo aconteceria do mesmo jeito, como se estivesse predeterminado, ela pensa, é, foi assim, não havia nada mais o que fazer, mas claro que levou tempo, porque ele não tinha nada de atrevido, nem ela, e tampouco era preciso ter, porque aquilo estava lá e era do jeito que era, independentemente de eles fazerem qualquer coisa ou não, ela pensa, mas por fim, ah, então chegou uma carta dele, e ele escreveu sobre a dificuldade para conseguir o endereço dela, escreveu um pouco sobre a vida cotidiana, não muito mais do que isso, apenas umas palavras, umas poucas palavras, simples, pequenas, nada de palavras grandiosas, mas aquilo era o suficiente, mais não era preciso, e ela respondeu, claro que ela respondeu, e claro que era um pouco doloroso pensar nas cartas que ela tinha enviado, ela pensa, porque mesmo que ele não insinuasse palavras grandiosas, ela insinuava, ela escrevia palavras grandiosas, mas ela não deve pensar naquilo, porque se havia uma coisa da qual ele não gostava era de palavras grandiosas, que serviam apenas para mentir e ocultar, as palavras grandiosas, elas não permitiam que o que estava lá existisse e vivesse, mas levavam tudo para uma coisa que se pretendia grandiosa, era assim que ele pensava, e era assim que ele era, ele gostava das coisas que não se pretendiam grandiosas, ela pensa, na vida, em tudo, e assim era ele também com o barco dele, um barquinho de madeira, um barquinho a remo, construído por aquele homem, Johannes de Vika, esse era o nome dele, daquele velho homem, e nem o construtor de barcos nem o barco que ele havia construído eram totalmente confiáveis, e talvez, não ela não deve pensar naquilo, ela pensa, e então se vê parada defronte a janela olhando para fora e então ela vê, do banco onde está deitada, que Ales tira Kristoffer do peito e ele resmunga um pouco, e então dorme nos braços de Ales e então ela vê que Ales baixa a túnica e com Kristoffer nos braços Ales se levanta e abre a porta do quarto e então Ales entra e fecha a porta e então ela olha para si mesma no lugar onde está parada defronte a janela olhando para fora, mas agora ela não pode mais ficar aqui, ela pensa, parada defronte a janela, ela não pode simplesmente ficar aqui parada defronte a janela, porque ele não volta mais, ela precisa fazer alguma coisa, precisa sentar, pôr mais lenha na estufa, enfim, ela não pode mais ficar aqui parada, ela pensa, porque a qualquer momento ele deve chegar em casa, ela pensa, claro, o tempo está ruim demais para ficar lá fora, e ele não pode simplesmente ficar lá fora no Fiorde até tarde da noite, e se ao menos o barco dele for confiável, porque aquele construtor de barcos, aquele velho homem nunca foi bem são, o que não é de estranhar quando se passa a vida inteira em um sótão montando barcos, com essa montação toda, dia sim dia também, para que então surja um barco, um barquinho de madeira, um barquinho a remo, com quinze pés de comprimento, talvez dezesseis, e estreito, afilado na proa e na popa, e também fino, com apenas um casco fino entre o passageiro e o mar, as ondas, as enormes profundezas do Fiorde, aquelas profundezas infinitas, são mais de mil metros desde a superfície, de onde há luz e escuridão e ar, para baixo, para baixo, sempre para baixo no Fiorde até chegar ao fundo. E além do mais aquelas tábuas finas do barco, três de cada lado, entre o passageiro e o mar e a enorme escuridão mais abaixo, e depois as ondas, uma vez ela estava com ele no barco e uma onda quebrou por cima do casco, não, não ela não deve pensar naquilo, ela pensa, e então vê a chuva escorrer pela vidraça, e ela não consegue ver nada do outro lado da janela, somente a escuridão, mas também há aquele vento, que sopra sem parar, e que justo hoje fizesse um tempo daqueles, mais cedo tudo parecia calmo e marrom e devagar, mas agora venta e chove, como uma coisa má, ela pensa, e se ao menos ele pudesse vir de uma vez, aquela espera, sempre aquela espera, ela deve gostar daquilo, deve gostar de esperar, ela pensa, e então vê, do banco onde está deitada, a si mesma atravessar o cômodo em direção à porta que dá para o corredor, e ela se vê parar, parar no meio da peça e olhar em frente como que para o nada, e aquilo, o fato de que sempre há de ver a si mesma, ela pensa, não há como se livrar daquilo tão cedo, o fato de que tudo que já foi ainda há de continuar lá, porque é assim, de nada adianta pensar a respeito, ela pensa, e então ela o imagina vindo na direção dela, com o jeito meio inclinado de caminhar, os longos cabelos pretos, de repente ele estava lá, estava lá parado, e foi como se ele sempre tivesse estado lá, e agora, e, sim, desde então foi sempre assim, não há o que fazer, era como se não houvesse jeito de escapar daquilo, porque ela tentou, claro, pensou nisso e pensou naquilo, fez isso e fez aquilo, mas independentemente do que fizesse ou deixasse de fazer, os dois ficavam cada vez mais juntos, como se não houvesse mais nenhuma vontade, e da mesma forma com ele, ele queria e não queria, ele tentou o quanto podia se livrar daquilo, mas depois, depois tudo acabou como acabou e como sempre havia sido, ela pensa, e ela não pode ficar simplesmente deitada lá, ela pensa, porque ela precisa se levantar, se pôr de pé, ela precisa fazer alguma coisa, não pode ficar simplesmente deitada no banco, ela pensa, e então se vê parada no cômodo olhando em frente para o nada e então se vê ir até a porta que dá para o corredor e se vê pôr a mão na maçaneta e se vê lá com a mão na maçaneta e pensa, enquanto segura a maçaneta, por que ele não vem?, e sempre aquilo, esperar, esperar, mas ele está demorando muito, por que ele não vem de uma vez, ela pensa, e então larga a maçaneta e vê, do banco onde está deitada, a si mesma ir mais uma vez até a janela e ela se vê postar-se lá e lá está ela mais uma vez parada olhando para fora da janela e ela pensa que logo ele deve vir e ele pensa como o mar está encapelado agora, e como a maré está alta agora, ele pensa de pé no Cais, o tempo está horrível, ele pensa, porque a maré está alta, tão alta que quando uma onda vem ela quebra por cima do Cais e por cima das botas dele, e o barco dele sobe e desce em meio às ondas, alto como se o barco fosse jogado para cima, como se fosse virar, e depois baixo como se a onda seguinte fosse quebrar por cima da proa e encher o barco, de novo, de novo, e se o mar continuar a ser bruto ele tem a impressão de que aquilo não pode acabar bem, ele pensa, e então se vira e pensa que o melhor seria voltar para casa, não há nada o que fazer com aquilo, daria tudo na mesma, ele pensa, mas apesar disso o tempo não está assim tão ruim?, venta forte, claro, mas de que importa?, o barco é bom, e há de sair-se bem mesmo com um tempo daqueles, ele pensa, então talvez ele deva fazer um passeio no Fiorde também hoje, porque o barco é bom, não há dúvida, ele pensa, e há de sair-se bem também em meio àquelas ondas, ele pensa, e por que não?, por que não dar um passeio?, ele pensa, e então vai até a borda do Cais e as ondas quebram contra as botas dele e ele solta os cabos e começa a recolher o barco, só um passeio curto, ele precisa dar um passeio curto em meio àquelas ondas e àquele vento e àquela chuva, e também no escuro, ele pensa, e ele precisa tomar cuidado para que o barco não se choque contra o Cais, ele pensa, e então recolhe o barco com cuidado e segura-o pela popa com uma das mãos e põe um dos pés na proa e depois o outro pé e logo ele está a bordo e as ondas fazem com que ele e o barco comecem a balançar e ele empurra o barco e pega em um remo e apoia o remo contra o Cais e empurra o barco e ele já soltou os cabos mais atrás e o barco balança para cima e para baixo em meio à escuridão e ele senta-se no paneiro no meio do barco e pega nos remos e rema o quanto pode em direção às ondas e tudo dá certo, o barco sobe e desce em meio às ondas, e ele rema o quanto pode e o barco faz caminho, lento e pesado, para cima e para baixo, em meio às ondas, para cima e para baixo, mas também para a frente, tudo dá certo, e o barco se afasta pelo Fiorde, se afasta e se afasta, no vento, na chuva, e mesmo que a escuridão ao redor seja densa, estranhamente não está escuro, ele pensa, porque o fiorde reluz em preto e nem faz tanto frio assim, afinal ele está usando o blusão grosso e preto, e além disso o corpo se esquenta ao remar, ele pensa, e então olha para trás e lá, à frente, ao longe, lá mais ou menos no meio do fiorde, o que é aquilo?, não parece uma fogueira?, ora, quem diria!, não, não pode ser!, ele pensa, e então se reclina nos remos e no mesmo instante as ondas o levam depressa de volta à terra e ele começa a remar outra vez e olha para trás e lá quem diria, ele pensa, há uma fogueira, pelo menos parece ser uma fogueira e a fogueira é grande, e sim, sim, está queimando lá, no meio do fiorde, ele pensa, e continua a remar e olha para a Orla e lá, lá junto à terra, lá, não é a Vó dele que está lá?, não é a Vó dele que está lá olhando para o Fiorde?, não, quem diria!, ele pensa, não, ele não entende nada daquilo, ele pensa, e então pega nos remos, e agora ele só precisa remar até o ponto onde a fogueira parece estar, ele pensa, e agora ela com certeza está em pé defronte a janela à espera dele e ele pensa em como gosta dela e ela pensa que agora precisa sair à procura dele, ela pensa, parada defronte a janela enquanto olha para a escuridão, e o fato de que esteja assim, de que sempre precise estar aqui parada defronte a janela, ela pensa e olha para a escuridão e vê uma fogueira, lá no meio do fiorde, uma pequena fogueira, agora há uma pequena fogueira em meio à escuridão do fiorde, ela pensa, e então ela vê a chuva escorrer pela vidraça e ele está demorando muito, ela pensa, e já não está na hora de sair à procura dele?, ela pensa, claro, ela precisa sair, ela precisa sair à procura dele, ela pensa, afinal por que ele não vem?, será que é normal ele passar tanto tempo no mar?, sim, ele faz isso com frequência, isso acontece com frequência, então por que ela não para de se preocupar?, não há nada fora do normal, tudo está como antes, porque nada de especial aconteceu hoje, ela pensa, mas assim mesmo agora parece estranho, e o que ela vai fazer se ele não vier?, ela pode sair à procura dele, claro, ela pensa, ir até o Abrigo de Barcos, até o Cais, mas o tempo está horrível, chove e venta e é o fim do outono, um dia no fim de novembro, e faz frio, é uma terça-feira no fim de novembro, e ele deve vir logo, ela só está preocupada, ela pensa, mas ela se conhece, não agora ela precisa se recompor, ela pensa, tudo está como deve estar, e ele deve vir logo, ela pensa, ela só está preocupada, nada mais, isso é tudo, isso é, mas não, ela pensa, e ela não pode simplesmente ficar parada, ela pode muito bem sair, descer até o Fiorde à procura dele, ela pensa, e então vê, do banco onde está deitada, a si mesma ir até a porta que dá para o corredor e abri-la e assim que a porta se abre e ela se vê sair ela vê um menino entrar e vê que a porta se fecha e então vê que o menino vai até a janela e se posta lá e fica lá parado olhando para fora da janela e o menino deve ter seis ou sete anos, ela pensa, um pitoco, é isso que ele é, ela pensa, e então vê a porta que dá para o corredor se abrir e um homem, magro e alto, e desajeitado, e com longos cabelos pretos, e barba preta e fina, entra e para e por assim dizer se faz solene e ele tem uma mão nas costas e depois uma mulher, pequena, morena, magra, com longos cabelos pretos, ela se parece um pouco com ela mesma, entra e fecha a porta e o homem barbado pisca o olho para a mulher e tanto o homem como a mulher olham para o menino e ele se vira para os dois, e ele os olha com olhos grandes, e os dois sorriem para ele

Asle, diz então a mulher

Eu acho que o Kristoffer tem uma surpresa para você, afinal hoje é o dia do seu aniversário de sete anos, 17 de novembro, ela diz

O dia 17 de novembro de 1897 é hoje, como disse a mãe Brita, diz Kristoffer

e Asle olha entusiasmado e tímido para os dois

É isso mesmo, como a Brita disse, diz Kristoffer

e Kristoffer abraça Brita com o braço livre e depois com um gesto brusco estende a mão que tinha atrás das costas e na mão dele há um barco, um barquinho de meio metro, com paneiros e remos e bartedouros e tudo mais, e ele entrega o barco para Asle

Parabéns pelos seus sete anos, Asle, diz Kristoffer

Um menino tão grande e tão dedicado como você merece um barco, ele diz

Você é um menino muito dedicado, Asle, diz Brita

e Asle caminha em direção a Kristoffer, que lhe entrega o barco, e Asle pega o barco e fica parado olhando para aquilo, e então Kristoffer estende a mão e Asle pega a mão dele e então Kristoffer balança a mão de Asle com movimentos regulares para cima e para baixo e Asle fica lá parado olhando para o barco

Deve ser um bom barco, diz Kristoffer

Como você vê ele tem paneiros e tábuas de soalho e remos e bartedouros e tudo o mais, ele diz

E esse trabalho em madeira é muito bonito, e tem um leve cheiro de alcatrão, como deve ser o cheiro de um barco novo, diz Brita

Foi um barco muito bonito que o Kristoffer construiu para você, ela diz

Tudo porque você é um sujeito incrível, diz Kristoffer

Você construiu esse barco, diz Asle

e Kristoffer diz que sim, quando era menino, muito tempo atrás, ele havia tomado aulas de construção de barcos, então mesmo que não tivesse construído muitos barcos, tinha aprendido a arte da construção de barcos, ele diz, e então Kristoffer caminha em direção a Asle, que não para de olhar para o barco, e Kristoffer põe o braço no ombro dele

Preciso experimentar o barco agora mesmo, diz Asle

As ondas não estão tão grandes, diz Kristoffer

Mas tome cuidado, diz Brita

Tome cuidado, ouviu?, ela diz

O Asle vai tomar cuidado, você sabe, diz Kristoffer

e Asle fica lá e não para de olhar para o barco e então ele sai pela porta do corredor e Kristoffer faz um aceno de cabeça para Brita e ela sorri para ele e então ela vê, do banco onde está deitada, que Brita sai pela porta da cozinha e que Kristoffer sai atrás dela e fecha a porta e então ela se vê entrar pela porta aberta vinda do corredor com a capa de chuva e se vê parar na porta e olhar para a sala e então se vê sair e fechar a porta e ela pensa, lá está ela no corredor, não, não ela não lembra de nenhuma outra vez em que ele tenha ficado na rua até tão tarde, logo vai ser noite e ele ainda não chegou em casa, ela precisa sair à procura dele, precisa descer até o Abrigo de Barcos, até o Cais, ela precisa sair à procura dele, porque aquilo, aquele vento, aquela chuva, aquela escuridão, e ele não tem como chegar logo, ela pensa, e então vai até a porta da casa e está ventando, chovendo, e a escuridão é preta, e faz muito frio, e ela precisa empurrar a porta da casa para fechá-la, é assim que está ventando, e ela empurra, fecha a porta, e então está na luz do lado de fora, no patamar de pedra, e ela ouve as ondas, a chuva, e então as ondas, e faz muito frio, e ela não pode simplesmente ficar parada, ela pensa, afinal ela saiu porque queria descer até a Orla à procura dele, talvez gritar por ele, mas ela não pode se postar em meio à noite escura e gritar o nome dele?, será mesmo apropriado?, não ela não pode fazer uma coisa dessas, não há como, não mesmo, ela pensa, e então sai ao Pátio e dá a volta na casa e para e olha para a Litlevegen, e não é ele que está vindo pela Litlevegen?, claro, deve ser ele, não?, ela pensa, e aquilo foi bom, porque ele estava mesmo vindo pela Litlevegen, naquela escuridão preta ela consegue vê-lo, claro, não, seria bom, ela pensa, mas lá, na Litlevegen, não, não é ele que está vindo, é uma mulher que está vindo, e ela traz uma criança nos braços, e a criança parece muito grande nos braços dela, o que será aquilo?, ela pensa, o que está acontecendo?, e ela vê tudo com grande clareza, como se fosse dia, não, ela não entende, ela pensa, e ela vê a mulher caminhando em sua direção e ela traz um menino nos braços e ela aperta o menino contra o corpo, e a mulher caminha depressa, e o menino, será que está vivo?, porque a mulher que vem em direção a ela traz um menino nos braços, e o menino parece estar sem vida, as roupas dele estão molhadas, os cabelos dele estão molhados, e os olhos da mulher, olhos grandes, parece haver um brilho de desespero neles, mas o que é aquilo?, o que é aquilo?, ela pensa, e a mulher, a mulher tem longos cabelos pretos e bastos, ela para na Litlevegen e aperta o menino contra o corpo e a mulher simplesmente fica lá parada, no meio da Litlevegen, com a cabeça baixa, e com o menino nos braços, e ela olha para a mulher que está lá parada, completamente imóvel, e então ouve uma voz gritar, o quê?, e ela olha para o Fiorde e lá, no

Caminho do Abrigo para Barcos, ela vê um homem, alto e magro, desajeitado, e com longos cabelos pretos, com barba preta e fina, que chega correndo e numa das mãos ele tem um galho com peixes e um dos lados dos longos cabelos dele está na frente do rosto

O que houve, Brita?, grita o homem

O que houve, o que tem o Asle?, ele grita

e o homem corre e ela vê que os cabelos pretos de Brita, aqueles cabelos pretos e bastos, escondem Asle que ela traz nos braços e então Brita começa a balançar-se a si e a Asle para a frente e para trás e o homem chega até Brita e estende os braços e usa-os para enlaçar Brita e Asle e depois fica lá abraçado a eles e no terreno às costas de Asle estão os peixes que o homem traz no galho e os cabelos pretos dele caíram por cima dos cabelos de Brita e por cima de Asle e eles ficam lá, imóveis, enquanto o tempo simplesmente passa, ela pensa, eles ficam lá, simplesmente ficam lá, e então Kristoffer larga Brita, se afasta um pouco dela

O que aconteceu?, ele diz

O Asle caiu no mar, diz Brita

Ele está vivo, diz o homem

Está, Kristoffer, diz Brita

Hoje é o aniversário de sete anos dele, o aniversário de sete anos do Asle, diz Kristoffer

O Asle morreu, Brita, ele diz

Não, ele não morreu, você não pode dizer uma coisa dessas, não diga uma coisa dessas, Kristoffer, diz Brita

O Asle morreu, diz Kristoffer

Ele completou sete anos e morreu, ele diz

Não, ele está vivo, diz Brita

Você não vê, ele morreu, diz Kristoffer

e Brita fica lá com Asle nos braços e os braços de Asle estão caídos, e a cabeça dele está caída, e os olhos dele estão abertos e vazios

Você não chegou a envelhecer, viveu só até os sete anos, você devia ter vivido mais, e não assim tão pouco, diz Kristoffer

e Brita fica lá, inclinada para a frente, com os longos cabelos pretos e bastos caídos por cima de Asle

Ele está vivo, diz Brita

e Brita olha para cima, através dos cabelos, em direção a Kristoffer

Não ele morreu, diz Kristoffer

e Kristoffer se afasta mais um pouco de Brita, e então para, olha para ela

Brita, diz Kristoffer

e Brita não responde, simplesmente fica lá parada como antes, com os longos cabelos pretos caídos por cima dos olhos

O Asle morreu, diz Kristoffer

O Asle está vivo, diz Brita

Não diga uma coisa dessas, Kristoffer, não diga que ele morreu, ela diz

O Asle se foi, diz Kristoffer

Ele morreu, ele diz

e Kristoffer começa a subir em direção à Litlevegen, ele dá a volta na casa, atravessa o Pátio, devagar, passo a passo, e os peixes no galho balançam de um lado para o outro, e é como se Kristoffer a cada passo estivesse prestes a se dissolver e a juntar-se à terra por onde anda, ela pensa, e ela vê Kristoffer parar e olhar para baixo, ele está lá com um galho de peixes numa das mãos olhando para baixo e ela se vira e então começa a descer a Litlevegen e ela para junto a Brita e então ergue a mão e a passa devagar pelos cabelos pretos e bastos de Brita, ela passa as mãos pelos cabelos dela e então ouve passos e vê Kristoffer descer a Litlevegen e os peixes no galho balançam de um lado para o outro e Kristoffer também se posta ao lado delas e passa a mão pelos cabelos de Brita

Vamos, Brita, diz Kristoffer

Você não pode ficar aqui parada, ele diz

Precisamos entrar, ele diz

Precisamos levar o Asle para casa, ele diz

e Brita olha para cima através dos cabelos e olha para Kristoffer

Hoje é o dia 17 de novembro, diz Brita

Hoje é o dia 17 de novembro de 1897, diz Kristoffer

O dia 17 de novembro de 1897, diz Brita

e Kristoffer enlaça os ombros de Brita com o braço, e devagar Kristoffer e Brita, e Brita com Asle nos braços, sobem a Litlevegen

No dia 17 de novembro de 1897 o Asle morreu, diz Brita

E ele nasceu no dia 17 de novembro de 1890, ela diz

e Kristoffer para, e Brita para, e então os dois ficam lá olhando para a terra marrom e então a porta da Antiga Casa se abre e uma senhora sai e se posta no patamar de pedra e Kristoffer olha para ela

O Asle se foi, Velha Ales, diz Kristoffer

Não fique aí parado, diz a Velha Ales

Os desígnios do Senhor são insondáveis, ela diz

Ele está bem, o Asle, está com Deus no Céu, então não se entristeçam, ela diz

Não se entristeçam, ela diz

Deus é bom, ela diz

e a Velha Ales leva uma das mãos, com os dedos curvos e atarracados, até o olho e lentamente passa a lateral do indicador ao longo do olho

Deus é bom, ela diz

e então a Velha Ales baixa a cabeça e um tremor atravessa os ombros dela e ela fica lá parada, simplesmente parada, assim como Kristoffer e Brita estão simplesmente parados, e Brita com Asle nos braços. Está cada vez mais escuro, e eles simplesmente ficam lá parados. Eles simplesmente ficam lá parados, sem se mexer, ela pensa. Eles estão lá parados, estão lá parados como sempre estiveram desde tempos imemoriais, ela pensa. E ela está lá parada. Ela está lá olhando para Asle, para Brita, para Kristoffer, para a Velha Ales. E então ela se vira e ao longe, no alto do Morro, onde a Propriedade termina, antes de começar a descer rumo ao rio do outro lado, o rio que segue a Montanha atrás deles desde a cachoeira e depois mais para dentro, lá, no ponto mais alto do Morro, lá ela vê um menino de pé, ele está completamente imóvel, simplesmente parado, e ele olha para a Antiga Casa, e ele não tem uma estaca na mão?, tem sim, uma estaca longa, feita com um galho, está apoiada no ombro dele, e talvez ele tenha pescado no rio com a estaca?, ela pensa, e então olha para o menino, será que pode ser ele quando menino?, não é parecido com ele?, mas como ela poderia dizer a uma distância tão grande que é ele?, ela pensa, mas ah, ele está ao mesmo tempo muito longe e muito perto, porque está como que totalmente escuro e totalmente claro ao mesmo tempo, ela pensa, e não há como compreender aquilo, porque ao longe ela vê um menino, no ponto mais alto do Morro, mas assim mesmo ela consegue ver o rosto dele com absoluta clareza, como se ele estivesse muito perto, e agora ela vê claramente que é ele, e ela vê que ele começa a correr em direção a ela, mas de repente o rosto é outro, um rosto totalmente outro, mas os cabelos ainda são pretos, como os cabelos dele são pretos, e não parece o Asle que Brita agora tem nos braços?, ela pensa, sim, claro que parece, ela pensa, e ela vê o menino correr em direção a ela, mas não será ele quando menino?, sim, lá está ele outra vez, e não o Asle que Brita tem nos braços, agora ela vê com absoluta clareza, e assim que é ele, logo é um outro, um menino da mesma idade, mas um outro menino, e esse menino é o Asle que Brita carrega nos braços, e agora o menino já quase chegou ao Pátio e ela se vira e olha para a Antiga Casa onde mora e lá, no Pátio, ela vê que Brita ainda está parada com Asle nos braços e Kristoffer está lá parado com peixes num galho e no patamar de pedra a Velha Ales está parada e agora ela vê tudo, agora ela vê tudo, agora ela vê que o menino que vem correndo em direção a ela é o Asle que Brita tem nos braços e ela vê o menino largar a estaca e então é como se ele desaparecesse no menino que Brita segura nos braços. E então a Velha Ales endireita o corpo, no patamar de pedra onde está, e lentamente se vira e entra na Antiga Casa. Na casa dela, a Velha Ales está entrando na casa dela, ela pensa. E no Pátio em frente à Antiga Casa onde mora Brita segura Asle nos braços. E então Kristoffer se aproxima de Brita e pega Asle e aperta Asle contra o corpo, e o galho com os peixes balança em direção à terra, e então Kristoffer começa a balançar a si mesmo e a Asle para a frente e para trás, e os peixes no galho balançam para a frente e para trás

Não ele não pode ter morrido, diz Brita

mas Kristoffer não responde

O meu bom menino não pode ter nos deixado, ela diz

O meu filho, meu querido filho, ela diz

Meu amado filho, ela diz

Mas onde está o Olav, ela diz

Kristoffer, você sabe onde o Olav está, ela diz

e como se levasse Asle para o batizado Kristoffer entra na Antiga Casa onde mora e Brita fica parada e então Brita passa uma das mãos pelos cabelos de maneira a afastá-los da testa e o rosto dela é como um céu vazio e então Brita entra na Antiga Casa onde ela própria mora, na Antiga Casa onde por muitos anos morou com ele, na casa dela, na casa que se tornou a casa dela, Brita entra, ela pensa, ela entra, caminhando, com aquelas roupas estranhas, com os longos cabelos pretos e bastos, Brita entra na casa dela, na Antiga Casa dela e dele, ela entra, ela pensa, e então, quando todos os outros entraram na casa dela, quando todos os outros moram na Antiga Casa onde ela mora, nesse caso ela não pode entrar lá?, nesse caso já não é mais a casa dela?, e será mesmo que ela pode entrar lá?, ela pensa, não, ela não deve poder, mas são ela e ele que moram lá, ninguém mais, ela pensa, por muitos anos eles moraram lá, os dois, apenas os dois, ela pensa, e então percebe a chuva, ela está ao relento, na chuva, na escuridão, e está ventando, e faz frio, e ela não pode ficar parada ao relento, ela pensa, mas ele não veio para casa. E onde ele está? O que foi feito dele? Ele foi ao Fiorde no barco dele, mas ainda não voltou, e ela está preocupada com ele, será que pode ter acontecido qualquer coisa?, ela pensa, por que ele não vem?, mas ela pensa assim com muita frequência, ela pensa, praticamente todos os dias, porque todos os dias ele sai no barco, é o que acontece, e ela está quase sempre preocupada com ele e pensa que ele deve voltar logo, ela pensa. E será que hoje é diferente? Claro que não há como saber, ela pensa. Afinal, tudo está como antes. Tudo está como antes. É uma terça-feira comum no fim de novembro, no ano de 1979. E ela é ela. E ele é ele. Mas talvez ela devesse descer à Orla assim mesmo, descer até o Abrigo de Barcos, não seria o caso de sair à procura dele?, ela pensa. É o que ela deve fazer, ela pensa. É bom sair um pouco, mesmo quando está chovendo e ventando, ela pensa. Para se refrescar um pouco. Afinal ela não pode simplesmente estar sempre dentro da Antiga Casa onde mora. Ela passa tempo demais por lá. Com frequência passa dias a fio sem sair para a rua. Não, aquilo é errado. Ela também precisa sair de vez em quando. E quanto a se preocupar, é uma coisa que ela faz sempre, não?, claro, mas assim mesmo ela pode descer ao Fiorde, ela pensa, ela poderia muito bem fazer isso, ela pensa, e nesse caso por que ficar parada?, se ela quer andar, então ela deve andar, ela não pode ficar parada, ela pensa, é uma terça-feira, no fim de novembro de 1979, e ela simplesmente está lá parada, ela pensa, e então começa a descer em direção à Litlevegen, porém momentos antes, não foi ele que ela viu subindo a estrada?, não, não pode ter sido, com certeza foi apenas uma impressão, ela pensa, mas agora ela deve ir até a Orla à procura dele, está chovendo, ventando, e está tão escuro, está tão escuro que ela mal consegue ver por onde anda, e aquilo, aquele tempo horrível, e aquele frio, por que ele saiu de barco com um tempo daqueles?, ela pensa, por que ele fez uma coisa dessas?, não, ela não compreende, por que ele não quer estar com ela?, ela pensa, em vez disso ele sempre sai com o barco, com aquele barquinho minúsculo, um barquinho a remo, e agora ele precisa voltar, ela pensa, e ela está muito inquieta, porque ele não costuma demorar tanto no Fiorde, não com um tempo daqueles, e agora está muito escuro, e muito frio, ela não se lembra de outra vez em que ele tenha passado tanto tempo fora, e por que ele não vem?, o que é aquilo?, será que alguma coisa pode ter dado errado?, ela pensa, e talvez ele não volte nunca mais?, não ela não pode pensar assim, ela pensa, agora ela precisa apenas descer à Orla, e ela pode muito bem passar um tempo parada no Cais à procura dele, porque assim, se ela ficar lá, vai acontecer de ele voltar mais depressa, ela pensa, porque ela já fez isso muitas vezes, sim por muitas vezes ela deu um passeio até lá, até o Abrigo de Barcos e o Cais, à procura dele, muitas vezes ficou lá parada no Cais à espera de que ele voltasse para terra, esse deve ser o passeio vespertino mais frequente dela, ela pensa, e então anda pela Storevegen e desce o Caminho e então ouve uma mulher gritar Asle, Asle e ela dá a volta no Abrigo de Barcos e para e lá na Orla ela vê os longos cabelos bastos de

Brita e mais uma vez ouve Brita gritar Asle, Asle!, e então ela vê um barquinho com cerca de meio metro de comprimento, um belo barquinho a remo, flutuando no mar preto, e então ela vê a cabeça de Asle aparecer no Fiorde e ela vê que as mãos dele se debatem em meio às ondas e então vê Brita correr até o Cais e mais uma vez a cabeça de Asle desaparece sob o mar, as mãos dele, todo ele desaparece sob o mar e lá está o barco dele flutuando e ele segue ainda mais além pelo Fiorde e Brita se atira do Cais e começa a nadar mais além pelo Fiorde e o barco desaparece por trás de uma onda e Brita tenta nadar o quanto pode, ela executa as braçadas, avança um pouco, contra as ondas, mas as ondas a empurram de volta e Brita grita Asle! Asle! em meio às ondas e mais uma vez a cabeça de Asle aparece, aparece entre duas ondas

Asle!, grita Brita

e ela ouve que o grito de Brita ocupa tudo que existe, o Fiorde, a Montanha, mas Asle não responde, e então vem uma grande onda que passa por cima de Asle e vira o barco dele e o barco fica lá de um lado para o outro e bate contra Brita e de repente a cabeça de Asle não está mais visível e Brita agarra os cabelos dele e ela os segura firme e as ondas quebram em cima deles e a mão livre de Brita nada no Fiorde e nada e nada e uma grande onda leva Brita e Asle em direção à margem e de repente Brita está num trecho um pouco mais raso e uma onda quebra em cima da cabeça dela e ela avança com dificuldade em direção à Orla puxando Asle pelos cabelos e somente a cabeça dele está fora d'água e então Brita sai cada vez mais do mar e os cabelos longos e pretos dela caem por cima do rosto, e então surge o peito de Asle, e Brita puxa Asle para junto de si e põe um braço por trás dos joelhos dele e o outro nas costas dele, e Brita levanta Asle e com o rosto na chuva caminha até a Orla com Asle nos braços e as mãos dele estão caídas, e Brita chega à Orla e com Asle nos braços começa a andar em direção ao Abrigo de Barcos e ela vê que Brita com Asle nos braços dá a volta no Abrigo de Barcos e então vê o barco de Asle lá, flutuando no mar, ela vê Asle com uma estaca na mão e da estaca até o barco dele vai um cabo fino e Asle caminha ao longo da Orla e puxa o barco cuidadosamente com a estaca e o barco desliza com leveza pelo mar e então ele deixa o impulso do barco acabar e então o barco dele fica lá subindo e descendo nas águas do Fiorde e então Asle ergue a estaca e o barco faz um movimento vagaroso e o barco desliza rumo à Orla e então Asle vai um pouco para trás e leva o barco para um atracadouro que fez entre duas grandes pedras e larga a estaca e então Asle começa a colocar mexilhões dentro do barco, um mexilhão atrás do outro, e logo o barco se enche, e então Asle sacode um pouco o barco e o barco desliza para fora do atracadouro entre as duas pedras, e então ele pega a estaca e começa a andar pela Orla e o barco desliza devagar e firme ao longo da Orla e o mar reluzente e tranquilo chega quase até a borda do barco e Asle leva o barco tranquilamente para longe e de repente Asle se vira e vê Kristoffer dando a volta no Abrigo de Barcos

O que você está transportando hoje, Asle, diz Kristoffer

Estou levando mercadorias para Bergen, diz Asle

Que mercadorias, diz Kristoffer

Um pouco de tudo, diz Asle

Você não quer. me contar, diz Kristoffer

Mais ou menos, diz Asle

e Kristoffer diz que tudo bem, é justo que se mantenha segredos comerciais, ele diz, e então pergunta se Asle pensa em passar muito tempo em Bergen

Uns dias, diz Asle

Sim, já que você está indo para a cidade, diz Kristoffer

É, está na hora de viajar, diz Asle

É verdade, diz Kristoffer

e Kristoffer vai ao Cais e começa a recolher o barco dele

Você vai sair de barco, diz Asle

Vou tentar pescar um pouco, todo mundo precisa comer, diz Kristoffer

Posso ir junto, diz Asle

Claro que pode, diz Kristoffer

A propósito, diz Asle

Eu não tenho tempo, ele diz

Entendo, diz Kristoffer

Afinal, você está com o barco cheio e estava a caminho de Bergen, ele diz

Eu posso encontrar você mais tarde hoje, diz Asle

Mas você está indo para Bergen, diz Kristoffer

É verdade, diz Asle

e então o barco de Kristoffer chega ao Cais, e Kristoffer sobe no barco, solta o cabo, senta no paneiro, coloca os remos no mar e rema um pouco pela Baía, e depois se reclina nos remos

A gente pode conversar quando você voltar de Bergen, diz Kristoffer

Podemos, diz Asle

E você vai trazer coisas boas na volta, diz Kristoffer

Com certeza, diz Asle

e então Kristoffer pega nos remos e rema pelo Fiorde e Asle avança pela Orla e o barco dele desliza de um jeito muito bonito e Kristoffer rema com força e o barco dele desaparece por trás do Promontório e então o mar se encrespa e pequenas ondas fazem o barco de Kristoffer balançar de um lado para o outro e Asle levanta a estaca, e a proa do barco fica suspensa acima do mar, mas a popa afunda, e então os mexilhões rolam para trás e caem no mar e Asle puxa a estaca com força e então o cabo se solta da presilha no barco e então o barco dele fica lá à deriva sem controle e Asle tenta alcançá-lo com a estaca e quase consegue, quando ele toca o barco e tenta cuidadosamente trazê-lo para junto da terra ele empurra um pouco com a estaca, e então o barco escapa, e o barco avança de lado pelo Fiorde e Asle larga a estaca, encontra uma pedra, atira-a no mar e a pedra cai antes do barco e as ondas causadas pela pedra levam o barco para ainda mais longe da terra e Asle encontra outra pedra e a atira e desta vez a pedra atinge o lado mais distante do barco e ele chega um pouco mais perto da terra e Asle pega a estaca, alcança o barco e traz o barco de volta a terra. E Asle pega o barco. E Asle está lá com o barco nas mãos e ele olha para o barco e então o larga mais uma vez no Fiorde, e então o barco fica lá no atracadouro entre duas pedras e Asle encontra uns galhos, arranca umas lascas de um velho toco de madeira que está lá, carrega bem o barco e então Asle pega o barco e o empurra um pouco e o barco desliza para longe e Asle pega uma pedrinha, atira-a atrás do barco e o barco é empurrado para longe pelas ondas que a pedra cria, balança para cima e para baixo, e então Asle pega outras pedras, e ele joga pedras e mais pedras atrás do barco e o barco desliza cada vez mais para longe no Fiorde e logo o barco está bem distante na Baía e desliza vagarosamente pelo Fiorde e Asle encontra uma pedra grande e bem pesada, ele a pega e consegue erguê-la na beira do mar e segura a pedra com uma mão e tenta segurá-la atrás da cabeça, mas não consegue, então ele segura a pedra com as duas mãos ao lado do corpo e toma o máximo de impulso possível e a atira e a pedra cai no mar um pouco mais à frente e faz grandes ondas que se espalham tanto para mais perto na direção dele como para mais longe na direção do barco e o barco ganha velocidade e se afasta cada vez mais pela Baía e Asle vê o barco deslizar cada vez mais para longe pelo fiorde e então é como se o tempo virasse de repente, tudo escurece, começa a ventar, começa a chover, as ondas chegam e o barco balança para cima e para baixo e desliza e o barco segue cada vez mais para longe pelo fiorde e então Asle tira os sapatos de madeira e desabotoa as calças, tira-as e então entra no mar, ele tem água até os joelhos, e então uma onda chega quase na altura da coxa dele e mais adiante está o barco dele e ele olha para o barco e ela vê, de onde está na orla, que Asle caminha cada vez mais para o fundo e ela o vê desaparecer sob o mar e ela pensa que agora ele deve vir logo e ela vai até o Cais e está tão escuro que não se vê nada, e agora ele deve vir logo, ela pensa, e esse vento, e essa escuridão, e as ondas, a maré alta, e faz tanto frio, e as águas estão tão altas que as ondas quebram em cima do Cais e também contra ela, é um tempo horrível, ela pensa, e agora ele deve vir logo, ela pensa, e lá fora?, aquilo não é uma luz?, como a luz de uma fogueira, lá no meio do fiorde?, e não é uma luz lilás?, não, não pode ser nada disso, mas assim mesmo, ela pensa, e onde está ele?, e o barco dele?, não se vê nada, mas onde está ele?, e por que ele não vem?, será que ele não quer ficar com ela?, será por isso?, imagine sair ao Fiorde com um tempo daqueles, naquela escuridão, não ela não compreende, ela pensa, e ela tenta olhar para o Fiorde, mas não consegue ver nada, e agora ele deve vir logo, ela pensa, ele não pode estar no Fiorde com um tempo daqueles, numa escuridão daquelas, em um tempo daqueles, e num barquinho tão pequeno, num barquinho a remo, ela pensa. E além de tudo aquela escuridão. E faz muito frio. E será que ela deve ficar lá parada? Mas por que ele não vem? E será que ela consegue lembrar se ele já havia saído com um tempo daqueles, e tão tarde da noite?, ela pensa, não, ela não lembra, ou será que ele saiu?, não, ela acha que não, ele nunca fez uma coisa daquelas, ela pensa, e ela não pode simplesmente ficar parada daquele jeito, ela pensa, porque ela está congelando, faz muito frio, e será que ela pode gritar por ele?, não há como ficar parada em meio à escuridão e gritar, ela pensa, mas o que ela vai fazer?, alguém precisa sair à procura dele, ora!, alguém precisa encontrá-lo!, mas quem?, e ela precisa encontrar alguém com um barco grande e com uma boa lanterna para ir ao Fiorde encontrá-lo, ela pensa, mas quem?, ela conhece alguém?, não, ela não conhece ninguém que possa ajudar, ela pensa, então tudo o que ela pode fazer é ficar lá parada, continuar lá parada, mas ela não pode simplesmente ficar lá parada esperando, ela pensa, mas então fazer o quê?, gritar?, encontrar alguém que tenha um barco grande, um barco grande com uma boa lanterna?, ou esperar?, ficar aqui e esperar?, ou ir para casa e esperar?, simplesmente ir para casa esperar?, porque ela não pode ficar aqui, com certeza ele deve chegar logo, com certeza vai demorar só mais um pouco, ela pensa, e então caminha em direção ao Cais e para, pois lá, ao longe na margem, de fato arde uma fogueira, e será uma fogueira de São João?, e não há dois garotos ao redor da fogueira?, sim, é isso mesmo, e não são os garotos do terreno vizinho?, ela pensa, sim, são eles dois, mas uma fogueira?, e justo agora, naquela época do ano?, com um tempo daqueles?, não, não há como, ela pensa, não há como acender uma fogueira com um tempo daqueles, não, ninguém poderia acender uma fogueira numa noite como aquela, mas uma fogueira arde na orla e dois garotos com dez doze anos de idade olham para a fogueira e não é um barco, um barco a remo, que arde em chamas?, não é um barco muito parecido com o dele?, ela pensa, que estranho, ela pensa, e então vê que as chamas vêm do barco, o barco pegou fogo em vários pontos e a fogueira tem a forma de um barco e lá estão eles ao redor, os dois garotos, e eles olham para as chamas, mas o que é aquilo?, ela pensa, não, ela não compreende, não é possível, ela pensa, e ela não pode ficar parada aqui no Cais, porque faz frio, e ela está congelando, e aquela chuva, aquele vento, mas e ele, ele não vem logo?, o que foi feito dele?, ela pensa, e então começa mais uma vez a andar rumo ao Cais, e além de tudo aquela estranha fogueira, ela pensa, um barco está queimando lá na orla, e dois garotos estão olhando para o barco que arde, o que é aquilo, afinal?, ela pensa, e agora, naquela época do ano, por quê?, ela pensa, e então dá a volta no Abrigo de Barcos e sobe pelo Caminho e agora a chuva e o vento estão mais fortes e a escuridão é tão densa que ela não enxerga um passo à frente, e agora ela precisa ir para casa, ela pensa, agora ela precisa ir para a Antiga Casa onde mora e cuidar do calor, porque a estufa não pode se apagar, quando ele voltar molhado e gelado do Fiorde a casa precisa estar quente, a Antiga Casa onde eles moram, a bela estufa antiga na Antiga Casa onde moram, onde moram há tantos anos, ela pensa, agora ela precisa voltar para casa, e precisa colocar bastante lenha na estufa, ela pensa, e então sobe pela Litlevegen e para e se vira, será que ela não ouviu um barulho logo atrás?, passos, talvez?, uma coisa ou outra ela ouviu, ela pensa, e ela olha para a Orla e lá uma fogueira continua a arder, mas já não está mais tão grande quanto era agora há pouco, a fogueira, é como se apenas um pouco de lenha estivesse queimando, e queimando devagar, e aquilo, o fato de que agora uma fogueira arde lá embaixo na orla, em uma noite escura, naquela chuva, naquele vento, ela pensa, e ela vê que a fogueira se apaga, e tudo fica às escuras e então uma chama ressurge, depois tudo fica às escuras mais uma vez, depois uma chama ressurge mais uma vez, mas agora um pouco mais baixa, depois tudo fica às escuras outra vez e depois uma chama ressurge mais uma vez, porém tão pequena que mal se pode ver, e depois tudo fica às escuras. Simplesmente às escuras. Apenas com a chuva. E apenas com o vento. E agora ela precisa ir para casa, ela pensa, e então dá a volta na Antiga Casa onde mora e lá em frente ao pátio ela vê uma mulher velha com um casaco azul, e na cabeça ela tem a touca bege que ele costuma usar, e a mulher velha se apoia numa bengala, e ela caminha devagar e numa das mãos traz uma sacola vermelha, e ela vê que um menino caminha ao lado da mulher velha e ele também segura a alça da sacola de compras, e agora ela vê, aquele é ele quando menino!, é ele que está lá andando, ela pensa, e ela vê a mulher velha pousar dois dedos tortos sobre a mãozinha dele e a mulher velha e ele sobem no patamar de pedra e ela apoia a bengala na parede e então abre a porta da casa

Agora vamos entrar, Asle, você e a Vó, diz a Vó

Então vamos, diz Asle

Você foi um menino dedicado e ajudou muito a Vó, diz a Vó

Depois que o Vô Olav morreu, você é quem mais ajuda a Vó, ela diz

e ela vê que a Vó entra pela porta e ele entra atrás dela e ela pensa que não, ela não pode ficar parada lá fora num frio daqueles mesmo que outra pessoa tenha entrado na casa dela, na Antiga Casa onde mora, porque afinal aquela casa é dela, são ela e ele que moram lá, ela pensa, e claro que foi ele que acabou de entrar, e a velha, aquela é a Vó dele, ela pensa, e se é assim, nesse caso ela também pode entrar, não?, ela pensa, e ela precisa simplesmente entrar, também, porque está ventando e chovendo demais para que ela possa ficar parada na rua, esse vento, essa chuva, e esse frio, ela também precisa entrar, ela pensa, mas será que ela pode entrar na Antiga Casa onde mora quando outra pessoa mora lá?, ela pensa, mas afinal é ela quem mora lá, ela e ele, Signe e Asle, então ela precisa simplesmente entrar, ela pensa, e então entra e lá no corredor ela vê a Vó tirando a touca bege e ela a coloca na estante e depois a Vó desabotoa o casaco e o pendura em um cabide

Asle, será que você pode fechar a porta, diz a Vó

e ela vê que ele fecha a porta

Está bem frio para essa época, Asle, então não podemos deixar o calor escapar, diz a Vó

E o chão está tão escorregadio que é perigoso para uma pessoa velha como a Vó caminhar pela rua, mesmo que seja só para sair porta afora, ela diz

Mas isso para mim, para você não é perigoso, porque você é jovem, Asle, ela diz

Não, para mim, não, diz Asle

Não, para você não, porque você é jovem, diz a Vó

e ela vê que a Vó pega a sacola de compras vermelha e abre a porta que dá para a cozinha e entra e então ela vê que ele entra atrás dela e fecha a porta atrás de si e agora ela precisa simplesmente entrar e colocar mais lenha na estufa, ela pensa, porque a casa precisa estar quente quando ele chegar, agora ela precisa simplesmente entrar e depois precisa colocar bastante lenha na estufa, ela pensa, porque a estufa não pode se apagar, a sala precisa estar quente e aconchegante quando ele voltar do mar para casa, afinal está ventando muito, está chovendo muito, está muito escuro lá fora, e faz muito frio, então quando ele voltar para casa a casa precisa estar quente e aconchegante na sala deles na Antiga Casa onde moram, ela pensa, e então pega a capa de chuva e a pendura no cabide onde a Vó recém pendurou o casaco, em cima do casaco da Vó ela pendura a capa de chuva, e depois vai até a porta que dá para a sala e a abre e entra e vê, do banco onde está deitada, a si mesma entrar na sala e se vê se virar e caminhar e fechar a porta e então se vê ir até a caixa de lenha e pegar duas achas de lenha e se vê se abaixar e colocar as achas de lenha na estufa e então se vê postar-se lá no cômodo e ficar parada olhando para as chamas e ela pensa, do lugar onde está, que foi bom que a estufa não se apagou, que continuou a arder, e aqui dentro não está tão frio, então se ao menos ele chegasse, ela pensa, e então vê que a porta da cozinha se abre e então o cheiro de carne frita entra na sala e ela o vê sair da cozinha e logo atrás vem a Vó

Mas agora sente, a comida já vai aprontar, diz a Vó

Como você é boa, Vó, diz Asle

Você que é um menino bom, diz a Vó

Nós somos bons amigos, nós dois, diz Asle

e ela o vê ir até a mesa e ele senta-se junto à cabeceira da mesa e ela o vê sentar-se lá e balançar as pernas e a Vó retorna à cozinha e ele fica lá sentado balançando as pernas e então a Vó entra trazendo um prato com carne frita, ovo frito, batata frita e cebola frita, e na outra mão a Vó tem um grande copo de leite

Agora você vai fazer uma refeição bem gostosa para ficar bem forte, diz a Vó

E a Vó coloca o prato e o copo na frente dele e ele se põe a comer e a Vó senta-se na outra ponta da mesa e ela, do banco onde está deitada, se vê parada olhando para as chamas da estufa e então se vê ir até a janela e se vê postar-se e ficar lá parada olhando para fora da janela e então ela olha, defronte a janela, para a porta que dá para o quarto e a porta se abre e ela vê Brita segurar a porta aberta e vê os cabelos dela presos ao redor do rosto e então ela vê Kristoffer na porta do quarto e nos braços ele tem um caixãozinho de madeira clara e ele entra na sala

Então não há jeito, diz Kristoffer

É, precisamos dizer adeus, diz Brita

Não há jeito, diz Kristoffer

e então ela vê que Brita fecha a porta do quarto e então Brita abre a porta que dá para o corredor e fica lá parada e segura a porta aberta e lá no corredor ela vê a Velha Ales com lágrimas correndo pelo rosto castigado e então vê Kristoffer sair pela porta com o caixãozinho de madeira clara nos braços e então Brita sai, fecha a porta e então ela vê, do banco onde está deitada, a si mesma ir até o banco e então se vê se deitar no banco e ela põe as mãos por baixo do blusão e as leva até os seios e então fica lá deitada com as mãos nos seios e então ela levanta a saia com uma das mãos e depois passa a mão pela coxa e leva a mão até o meio das pernas, deixa a mão lá e olha para a mesa e vê que ele se levanta

Obrigado, Vó, estava muito bom, diz Asle

De nada, diz a Vó

e a Vó se levanta, pega o prato dele e ele pega o copo vazio

Estava muito bom mesmo, diz Asle

Fico contente, diz a Vó

e então a Vó vai até a cozinha e ele vai atrás e fecha a porta e os dois vão embora, vão embora para sempre, ela pensa de onde está deitada e ela pensa que hoje, hoje é uma quinta-feira, no mês de março, no ano de 2002, ela pensa, e então olha para a porta do quarto e a porta se abre e de repente ele está lá

Você não vem se deitar logo, ele diz

Eu já esquentei a cama, ele diz

e ele põe os longos cabelos pretos para trás das orelhas e olha para ela

Você também precisa vir se deitar de uma vez, ele diz

e ela olha para ele e então desvia o olhar para o nada e então leva as duas mãos à barriga e fica de mãos postas e eu ouço Signe dizer, Jesus me ajude

1ª EDIÇÃO [2023] 1 reimpressão

ESTA OBRA FOI COMPOSTA PELO ACQUA ESTÚDIO EM MERIDIEN
E IMPRESSA PELA GRÁFICA PAYM EM OFSETE SOBRE PAPEL PÓLEN BOLD
DA SUZANO S.A. PARA A EDITORA SCHWARCZ EM OUTUBRO DE 2023

A marca FSC® é a garantia de que a madeira utilizada na fabricação do papel deste livro provém de florestas que foram gerenciadas de maneira ambientalmente correta, socialmente justa e economicamente viável, além de outras fontes de origem controlada.